Alex C. Michalos

LES CHEMINS DU RAISONNEMENT

Reconnaître les pièges

traduction et adaptation par
Luc Desautels, Patricia Marsolais, Michel Mongeau,
Washington Morales, Louis Simard, André Sylvestre, Marie-Andrée Trudel

sous la direction de
Louis Simard

Éditions du Virevent
1995

Titre original: <u>Improving your reasoning</u>

Maquette de la couverture: Luc Dauphin

Mise en page et infographie Louis Simard

Dépôt légal: Bibliothèque nationale du Québec, 1995
Bibliothèque nationale du Canada, 1995

ISBN: 2-921881-00-4

Données de catalogue avant publication (Canada)

Michalos, Alex C.

Les chemins du raisonnement: reconnaître les pièges

Traduction de la 2e éd. de: Improving your reasoning.
Pour les étudiants du niveau collégial.

ISBN 2-921881-00-4

1. Raisonnement. I. Desautels, Luc, 1953- ; Marsolais, Patricia; Mongeau, Michel; Morales Washington; Simard, Louis, 1949- ; Sylvestre, André; Trudel, Marie-Andrée. II. Titre.

BC177.M4814 1995 160 C95-940531-3

Distribution: Distribution de livres Univers, S.E.N.C.
845, rue Marie-Victorin,
St-Nicolas, (Québec)
G0S 3L0
téléphone: (418) 831-7474
1-800-859-7474
télécopieur: (418)-831-4121

Impression Ateliers Graphiques Marc Veilleux

Imprimé au Canada

Avant-propos

pour l'édition originale

Ce livre s'adresse à tous ceux et celles intéressés par le raisonnement logique, qu'ils soient étudiants ou simples mortels n'ayant aucune formation dans le domaine de la logique, ne possédant que très peu de temps libre et ne démontrant qu'un intérêt mitigé quant à la façon d'apprendre à distinguer les bons arguments des mauvais. Heureusement toutefois, le présent ouvrage peut les aider à distinguer les types d'arguments qui réussissent à prouver ce qu'ils sont censés prouver de ceux qui échouent. Ces derniers sont non seulement faux et trompeurs, mais, en outre, ils s'avèrent trop souvent extrêmement nuisibles du fait qu'ils mènent parfois à des conclusions erronées qui se traduisent par des actions insensées aux des conséquences désastreuses à la fois pour leurs auteurs et leurs innocentes victimes.

Le présent ouvrage se divise en huit chapitres. Le premier chapitre aborde les structures fondamentales (formelles) de certains types de bons arguments souvent utilisés. Nous examinons ici en détail la distinction fondamentale entre les mauvais arguments attribuables à leur «structure logique» erronée et les mauvais arguments reposant sur de faux principes. Dans le chapitre deux, nous analysons d'autres types de mauvais arguments que nous qualifions de non pertinents ou de circulaires. Nous traitons entre autres de huit types de circularité. Les chapitres trois et quatre expliquent trente-sept types d'arguments étant plus ou moins en rapport avec les allégations qu'ils sont sensés véhiculer.

Les autres chapitres renferment des analyses sur des arguments qui sont souvent non pertinents, voire même faux et trompeurs et ce, pour des raisons encore plus obscures. Dans le cinquième chapitre par exemple, nous nous penchons sur des arguments dont la principale caractéristique réside dans leur tendance à semer la confusion. Le chapitre six s'attaque aux erreurs commises lors de la classification des éléments en différents groupes. Le chapitre sept traite des impairs politiques, notamment d'un certain nombre de tactiques ou de manoeuvres trompeuses que des dirigeants et des aspirants au pouvoir pourtant astucieux, quoique malhonnêtes, ont utilisées au détriment d'autres personnes. Le dernier chapitre s'attarde sur les erreurs commises lorsque des arguments doivent tenir compte des trois facteurs suivants : l'incertitude, les statistiques et la probabilité.

Bien entendu, il ne saurait être question de mémoriser les quatre-vingt-douze types d'arguments. Cet exercice, en plus d'être improductif, demanderait énormément de temps. En revanche, je vous propose simplement de vous pencher sur les discussions, les définitions et les exemples afin de bien comprendre le genre d'erreurs ou de tactiques trompeuses introduites et, surtout, afin de relever des cas liés à votre propre expérience. Ce dernier exercice constitue certes une méthode intéressante et efficace de maîtriser les principes de la logique. Lorsque vous aurez pris conscience que vous ou qu'une autre personne avez commis l'une des erreurs dont traite le présent ouvrage, les risques de rechute seront moindres.

En dernier lieu, il convient de signaler que la notation mathématique (symboles) qui caractérise la majeure partie des textes contemporains sur la logique a été utilisée le moins possible dans le présent document. Qui plus est, l'utilisation et la définition de termes techniques n'ont servi qu'à mettre en relief et à expliquer une nouvelle idée lors de sa première apparition. Pour un examen rapide du présent ouvrage, plus de 600 questions problématiques, accompagnées des solutions, ont été incluses.

Alex C. Michalos
Université de Guelph, Ontario

Avant-propos

pour l'édition française

Un peu à la manière de Diogène qui cherchait «l'homme», nous voulions offrir à nos élèves un outil de travail théorique et pratique simple, accessible et facile à utiliser. Après avoir cherché sans succès parmi les ouvrages parus en français, nous avons convenu de publier un manuel qui permettrait à la fois un apprentissage relativement autonome et qui proposerait de nombreux exercices permettant à l'élève d'acquérir une certaine maîtrise du raisonnement. Puisque nous avions déniché une publication en anglais qui répondait à nos attentes, nous avons entrepris sa traduction et nous l'avons expérimentée auprès de 450 élèves à l'automne 1994. Le succès fut fort encourageant et nous avons entrepris de réaliser une édition revue et corrigée, suite aux observations des usagers.

Le présent volume traite succinctement du raisonnement lui-même et se consacre ensuite à différentes erreurs parmi les plus courantes: les sophismes. Bien sûr, ces derniers sont abordés dans de nombreux ouvrages, mais aucun ne semble avoir vraiment couvert la question aussi à fond que ce manuel. De plus, l'approche pédagogique, par la voie d'exemples et d'exercices, convient tout à fait à l'enseignement qu'attendent nos élèves.

Évidemment, nous ne prétendons aucunement que ce volume couvre l'ensemble des connaissances liées au raisonnement et au développement de l'esprit critique. C'est d'ailleurs pour cette raison que nous avons entrepris la publication d'un second ouvrage qui vient compléter celui-ci et qui porte sur la pensée critique et sur la construction du discours d'argumentation.

Nous vous souhaitons donc un bon voyage sur les chemins du raisonnement.

Louis Simard
Collège de L'Assomption, Québec

Table des matières

Chapitre un

Les raisonnements

«Instruisez un sage, il deviendra plus sage.»

Proverbes 9:9

1.1 Raisonnements inductifs et déductifs

Certaines personnes discutent à propos de tout et de rien. D'autres ne disent jamais rien. Les personnes qui s'obstinent continuellement peuvent devenir difficiles à supporter. Les gens qui ne débattent jamais sur rien sont plutôt passifs car, dans la vie, il y a des sujets qui méritent d'être débattus. Certaines choses méritent d'être justifiées et d'autres, d'être défendues même si nous ne disposons que de mots pour défendre un point de vue. Il vous est sûrement déjà arrivé d'avoir une bonne discussion. Inutile de vous rappeler que ces situations peuvent être à la fois dérangeantes, incontrôlables et parfois même embarrassantes. Si vous avez de la chance, elles peuvent être aussi enrichissantes. En effet, il n'y a rien comme une bonne discussion pour mettre les choses au clair. C'est parfois notre dernier recours.

Mais, que veut-on dire par avoir une bonne discussion? Comment qualifieriez-vous votre dernier débat? Dans mon cas, ce fut avec mon voisin dont le chien renversait continuellement ma poubelle. Il m'a apostrophé parce que je n'avais pas mis le couvercle sur ma poubelle. J'ai répliqué en lui rappelant de garder son idiot de chien loin de mon balcon. Nous avons fait preuve de méchanceté de part et d'autre. Cela me permet tout de même d'illustrer de ma définition d'une argumentation. Regardons ce débat de plus près. Voici la version de mon voisin. Appelons-le «Pierre».

Pierre *Si ta poubelle avait un couvercle, mon chien ne se laisserait pas tenter. Donc si tu veux que mon chien se tienne loin de tes déchets, sois moins avare et achète-toi un couvercle.*

Voici ma version (je serai «André»).

André *Si ton chien était attaché ou mieux nourri, il ne sauterait pas sur ma poubelle. Donc si tu ne veux pas que ton chien mange mes déchets, tu n'as qu'à en prendre soin.*

Très touchant n'est-ce pas? Toutefois, on peut tirer quelques leçons de cet échange. En premier lieu, remarquez que nous avons exprimé nos points de vue en utilisant deux phrases déclaratives ou jugements. Ce sont les seules qu'il faut considérer puisque ce sont les seules qui puissent être vraies ou fausses. Remarquez aussi que la seconde phrase de chaque protagoniste commence par le mot *donc*. Ce mot joue un rôle important. Il nous indique que tout ce qui le suit découle de ce qui le précède. En d'autres mots, *donc* nous indique que la proposition qui suivra ce mot est reliée à la précédente selon une certaine règle logique. Ou, si vous aimez mieux, la proposition qui suit le mot *donc* représente la conclusion de l'argumentation alors que celle qui le précède en représente la prémisse.

Dans le paragraphe précédent, nous avons proposé un sens du mot *argumentation* qui diffère quelque peu du sens du mot *discussion* que nous avons donné plus tôt. En effet, dans le premier cas, nous évoquions des types de discussions que certaines personnes peuvent avoir entre elles. On les retrouve sous forme d'escarmouches verbales, de batailles linguistiques, etc. Toutefois, dans le paragraphe précédent, nous parlons plutôt du genre de raisonnement que l'on présente à d'autres personnes. Ces raisonnements sont des séquences de propositions organisées de telle façon que certaines doivent venir justifier, appuyer une autre proposition de la séquence. Les propositions qui fournissent les justifications de l'argumentation ou du raisonnement sont appelées les prémisses alors que celle qu'elles appuient s'appelle la conclusion.

Les raisonnements présentés par Pierre et André n'ont qu'une prémisse.Toutefois, le nombre de prémisses peut varier. Voici deux exemples:

Prémisses: *Si François a une panne d'essence avec sa voiture, son moteur ne fonctionnera pas.*
François a une panne d'essence.
Conclusion *Donc, son moteur ne fonctionnera pas.*

Prémisses *Mes deux chats siamois ont les yeux bleus.*
Les vingt-sept chats siamois que le vétérinaire a examinés ont les yeux bleus.
Conclusion *Il est probable que tous les chats siamois aient les yeux bleus.*

Ces deux raisonnements ont chacun deux prémisses. À cet égard, ils sont semblables. Toutefois, il y a une différence logique importante entre le premier et le second. Cette différence vient des mots *il est probable* que l'on retrouve dans la conclusion.

Cette expression nous indique que la conclusion n'est pas le résultat absolument certain des prémisses. Elle n'est que le résultat plus ou moins probable de ces prémisses. En effet, même si tous les chats siamois que nous avons examinés ont les yeux bleus, on ne peut conclure avec une certitude absolue que tous les chats siamois de la planète, et ce à toutes les époques, aient les yeux bleus. On ne peut que conclure qu'il est possible ou probable que ce soit le cas. Un tel raisonnement repose donc sur une généralisation de cas particuliers: on a observé de nombreux chats et on en tire une règle générale. Ce type de démarche constitue un raisonnement inductif.

On appelle **déductif** un raisonnement qui est présenté comme étant la résultante certaine des prémisses données parce qu'une des prémisses constitue une règle générale de laquelle découle un ou quelques cas plus spécifiques. Même si le raisonnement contient une erreur et ne répond pas aux attentes, on l'appelle quand même déductif. Le fait d'être déductif ne rend pas le raisonnement bon ou mauvais. Le premier raisonnement (concernant l'auto de François) est déductif.

D'autre part, on appelle **inductif** un raisonnement qui est prétendu ou considéré comme étant une résultante plus ou moins acceptable des prémisses données parce que les prémisses sont particulières et conduisent à une règle générale. Puisque tous les cas possibles ne sont pas expressément couverts dans les prémisses, elle n'est donc que plus ou moins acceptable. Même si le raisonnement contient une erreur et ne répond pas aux attentes, on l'appelle quand même inductif. Le fait d'être inductif ne rend pas le raisonnement bon ou mauvais. Le second raisonnement (concernant les chats siamois) est inductif.

Notez que dans notre définition du raisonnement inductif, on utilise le mot acceptable plutôt que probable. Le premier mot est tout simplement plus général que le second. Habituellement la conclusion d'un raisonnement inductif est décrite comme étant une résultante plus ou moins probable. Toutefois on pourrait aussi la décrire comme étant plus ou moins raisonnable, vérifiable, justifiable, sensée, utile. En d'autres mots, il y a plusieurs façons de qualifier une relation entre les prémisses et la conclusion d'un raisonnement. Il est donc préférable d'utiliser un terme plus vague comme le terme *acceptable* dans notre définition. Voici deux autres exemples:

Prémisse *Tous les poulets sont des oiseaux.*
Conclusion *Donc le cou d'un poulet est le cou d'un oiseau.*

Prémisses *L'an dernier, la température du mois de janvier ressemblait beaucoup à celle du mois de février.*
Il en fut de même pour les quinze années précédentes.
Conclusion *Donc, il est probable qu'il soit en toujours ainsi.*

Le premier raisonnement ne laisse planer aucun doute. La conclusion est une résultante irréfutable de la prémisse

Tous les poulets sont des oiseaux.

C'est l'évidence même. Toutefois, même si ce n'était pas le cas, nous dirions que ce raisonnement est déductif. Nous le considérons ainsi parce que nous savons qu'il prétend justifier la conclusion.

Le cou d'un poulet est le cou d'un oiseau

est certain. Compte tenu de ce qui est donné dans la prémisse, nous sommes liés, incapables d'échapper à cette conclusion. Toutefois c'est une toute autre question de savoir si ce raisonnement est correct et si nous sommes vraiment liés par la conclusion.

Le second raisonnement laisse planer un certain doute. La conclusion est supposée être la résultante plus ou moins plausible des prémisses

L'an dernier, la température du mois de janvier ressemblait beaucoup à celle du mois de février.
Il en fut de même pour les quinze années précédentes.

et c'est bien le cas. Ce raisonnement est inductif. Nous le considérons ainsi parce qu'à partir de cas particuliers, ce raisonnement suppose, prétend, affirme, allègue rendre acceptable la conclusion générale

Donc, il est probable qu'il soit toujours ainsi.

En d'autres termes, à partir des prémisses particulières, nous sommes plus ou moins (mais non complètement) liés à cette conclusion ou incapables de nous en défaire. Toutefois, c'est ici aussi une toute autre question de savoir si ce raisonnement est correct et si nous sommes vraiment liés par la conclusion.

Maintenant, si nous définissons la logique comme l'étude des principes et des règles qui gouvernent l'argumentation et le raisonnement et de ce qui s'y rattache directement (par exemple des propositions et des termes de toutes sortes), alors nous pouvons dire qu'elle se subdivise en deux parties: la déduction et l'induction. En logique déductive (c'est-à-dire dans la déduction), on se concentre sur des principes applicables avant tout à des raisonnements déductifs. En logique inductive (c'est-à-dire dans l'induction), on se concentre sur des principes applicables avant tout à des raisonnements inductifs.

Pourquoi doit-on s'intéresser à l'étude de la logique? Est-ce bien utile? Comme disait mon frère: «On ne peut mettre la logique en banque!» La réponse la plus convaincante que je puisse vous donner est la suivante: Que vous vouliez ou non étudier la logique, vous l'utilisez de toute façon. Vous ne pouvez l'éviter. Aucune personne rationnelle ne peut éviter d'utiliser la logique. Si vous tentez de me convaincre du contraire, vous devez me présenter un raisonnement. Et alors, vous utiliserez la logique. Vous le voyez: on ne peut l'éviter.

Ces derniers propos nous auront sans doute permis de voir les choses sous un angle nouveau. Toutefois allez-vous étudier la logique dans le but d'en savoir plus sur cet outil que vous utilisez depuis des années et que vous continuerez d'utiliser? Ou allez-vous en ignorer l'étude et continuer de l'utiliser quand même? C'est à vous d'en décider et d'en subir les conséquences.

1.2 Les raisonnements valides et invalides

Si vous êtes toujours là, c'est que vous voulez en savoir plus sur les raisonnements. Si c'est le cas, je suis prêt à parier ma chemise que vous aimeriez savoir comment distinguer les bons raisonnements des mauvais. Comment distinguer les raisonnements valides de ceux qui ne le sont pas? La réponse à ce dilemme est une très longue histoire, mais l'ouvrage que vous tenez entre les mains contient quelques-uns des chapitres les plus utiles. Du moins je crois que ce sont ceux qui vous seront les plus utiles.

Regardons les raisonnements déductifs suivants:

Tous les félins sont des animaux
Tous les tigres sont des félins.
Donc, tous les tigres sont des animaux.

Tous les humains sont mortels
Tous les Grecs sont humains.
Donc, tous les Grecs sont mortels.

Chacun de ces raisonnements porte sur des objets différents. Le premier parle d'animaux, de félins, de tigres; le second parle de mortels, de Grecs, d'humains. Des raisonnements qui concernent des objets différents ont des contenus différents. Les raisonnements précédents ont des contenus différents. Toutefois, ils ont la même forme, la même structure, le même modèle. La structure de chacun de ces raisonnements est la suivante:

Tous __________ *sont* _ _ _ _ _.
Tous .... *sont* __________.
Donc, tous .... *sont* _ _ _ _ _.

Les seuls mots qui apparaissent dans ce squelette sont des guides logiques que l'on appelle **opérateurs.** Vous savez déjà comment utiliser le «donc» qui annonce que tout ce qui le suit est la conclusion d'un raisonnement. Les mots «tous» et «sont» nous indiquent que tout ce qui suit le «tous» appartient à l'ensemble qui suit le «sont». Par exemple:

Tous les félins sont des animaux

indique que tout chat appartient à l'ensemble *animaux.* De même,

Tous les Grecs sont mortels

nous indique que tout Grec appartient à l'ensemble *mortel.* Ainsi la structure

Tous __________ *sont* _ _ _ _ _.

apparaît continuellement en logique. C'est ce qu'on appelle un schéma de proposition. Il y a plusieurs types différents de schémas de propositions et nous en étudierons quelques-uns plus loin. Lorsqu'on remplace les lignes continues par de simples termes tels que «homme», «clown», «Québécois», on obtient une proposition en langage courant.

D'autre part, la structure

Tous __________ *sont* _ _ _ _ _.
Tous .... *sont* __________.
Donc, tous .... *sont* _ _ _ _ _.

apparaît aussi continuellement en logique. Il s'agit d'un des nombreux schémas de raisonnements. Lorsque les lignes continues, brisées ou pointillées sont remplacées par des termes simples, le résultat est un raisonnement ordinaire. Ce schéma de raisonnement identifié il y a deux mille ans, a été nommé par la suite *Barbara* et il conserve ce nom encore aujourd'hui.

Barbara revêt une grande importance parce que peu importe le contenu qui remplace les lignes continues, brisées ou pointillées (en autant que l'ensemble demeure cohérent), si les prémisses s'avèrent vraies, alors la conclusion doit être également vraie. En d'autres termes, tant que l'on remplace les lignes continues avec le même terme dans les deux prémisses, les lignes brisées avec le même terme et les lignes pointillées avec le même terme, si les prémisses sont vraies, la conclusion doit être vraie. Le schéma *Barbara* est absolument fiable puisqu'il ne nous permet jamais de tirer une fausse conclusion à partir de deux prémisses vraies.

Un schéma de raisonnement s'avère **valide** si, et seulement si, il donne lieu à une conclusion vraie chaque fois que l'on remplace les lignes de façon à ce que les prémisses soient véridiques. Le raisonnement en langage courant obtenu à partir d'un schéma de raisonnement valide constitue un raisonnement valide. Ainsi, *Barbara* est un schéma de **raisonnement valide**, et les deux raisonnements obtenus par le remplacement des lignes par de simples termes (humain, Grec, ...) sont des raisonnements valides. Puisqu'il n'y a pratiquement aucune limite au nombre de séries différentes de trois termes que l'on pourrait substituer aux lignes de ce schéma, il n'y a donc pratiquement aucune limite au nombre de raisonnements valides différents que nous pourrions en obtenir. Il en est de même de tous les schémas de raisonnements: il y a toujours de très nombreux raisonnements que nous pouvons construire en reproduisant ces structures. Dans la section 1.3, nous présenterons quelques schémas de raisonnements valides différents, lesquels permettent de créer une multitude de raisonnements différents.

Cependant, avant d'aller plus loin, rappelez-vous ceci: lorsque l'on dit qu'un raisonnement est valide, on parle alors de sa forme logique, de sa structure, de son schéma, et non de son contenu. *Barbara* est le nom d'un squelette de raisonnement valide. Tout comme les squelettes humains n'ont pas de chair, les squelettes logiques n'ont pas de contenu. Ils ne portent sur rien et ils ne peuvent donc pas être vrais ou faux. Toutefois, ils peuvent être valides ou invalides.

Un raisonnement est appelé invalide si, et seulement si, il est possible de remplacer uniformément et de façon cohérente les lignes d'un schéma de raisonnement de telle sorte que les prémisses soient vraies mais que leur conclusion soit fausse. Le raisonnement en langage courant obtenu à partir d'un schéma de raisonnement invalide sera un raisonnement invalide. Voici d'ailleurs des exemples de schémas de raisonnements invalides:

Tous __________ *sont* _ _ _ _ _ _.
Tous .... *sont* _ _ _ _ _ _.
Donc, tous .... *sont* __________.

Certains __________ *sont* _ _ _ _ _ _.
Certains .... *sont* __________.
Donc, certains .... *sont* _ _ _ _ _ _.

Nous pouvons prouver que ces schémas sont invalides en substituant les lignes de telle sorte que chaque prémisse s'avère véridique, mais que les conclusions soient fausses. On peut prouver l'invalidité du premier schéma comme suit:

vrai	*Tous les chiens sont des animaux.*
vrai	*Tous les chats sont des animaux.*
faux	*Tous les chats sont des chiens.*

Remarquez que la ligne continue est toujours remplacée par «les chiens», la ligne brisée par «les chats». Ceci démontre bien ce que l'on entend par une substitution uniforme et cohérente. Si l'on avait remplacé par exemple une ligne continue par «les chiens» et l'autre par «les chats», ces remplacements n'auraient pas été uniformes ou cohérents. Mais surtout, remarquez que chaque prémisse est vraie et que la conclusion est fausse. Ceci est la preuve que le schéma est invalide.

On peut prouver l'invalidité du second schéma comme suit:

vrai	*Certains polygones sont des triangles*
vrai	*Certains carrés sont des polygones*
faux	*Donc, certains carrés sont des triangles.*

Ici encore, les substitutions sont uniformes, les prémisses sont vraies mais la conclusion est fausse. Ce schéma est donc invalide.

Si vous demeurez sceptiques quant à la différence entre un schéma de raisonnement valide et un autre invalide, tentez de mettre des prémisses vraies pour *Barbara* et une conclusion fausse. Tant et aussi longtemps que les substitutions sont cohérentes, c'est impossible. Avec *Barbara*, la seule façon d'obtenir une fausse conclusion serait d'introduire une fausse prémisse. *Barbara* est un schéma de raisonnement valide et de tels schémas ne nous permettent jamais d'obtenir une conclusion fausse si nos substitutions sont uniformes et que toutes les prémisses sont vraies. Par contre, tout schéma de raisonnement qui permet de tels remplacements est invalide.

Maintenant que vous connaissez ce qu'est un raisonnement valide, nous pouvons déterminer quels raisonnements sont bons et lesquels sont mauvais. Les bons raisonnements sont absolument fiables. Ils doivent satisfaire notre conception intuitive de la preuve. Techniquement, nous disons que des raisonnements sont «rationnellement justifiés». Un raisonnement qui est structuré selon un schéma valide, qui a des prémisses vraies et qui est suffisant est «rationnellement justifié». La suffisance sera expliquée plus loin. Les conclusions des raisonnements déductifs rationnellement justifiés sont démontrées sans l'ombre d'un doute. Si vous présentez un raisonnement qui est valide d'une part, qui ne contient que des prémisses vraies d'autre part et enfin qui est suffisant, vous avez réussi à prouver quelque chose. Si vous avez réussi à prouver ce que vous tentiez de prouver, vous avez justifié votre point de vue. Vous ne pouvez faire plus. Les raisonnements portant sur les chats, les animaux, et les tigres et ceux portant sur les humains, les mortels et les Grecs avec lesquels nous avons débuté cette section sont des raisonnements (déductifs) justifiés. De la même façon, le raisonnement à propos des poulets et des cous, dans la première partie, est aussi justifié.

Un raisonnement peut être non rationnellement justifié ou rationnellement injustifié pour les motifs suivants: premièrement, il peut être formulé à partir d'un schéma invalide. Dans ce cas, on peut dire qu'il est formellement invalide c'est-à-dire qu'il est sans fondement puisqu'il est élaboré selon un schéma ou une structure qui pose problème. Les raisonnements portant sur les chats, les chiens et les animaux et ceux portant sur les triangles, les carrés et les polygones constituent des exemples de raisonnements rationnellement injustifiés ou invalides car ils suivent des schémas invalides.

Deuxièmement,le raisonnement peut contenir une fausse prémisse. Par exemple:

Tous les arbres ont des feuilles persistantes
Tous les oliviers sont des arbres
Donc, tous les oliviers ont des feuilles persistantes

La première prémisse est fausse. Il n'y a rien d'anormal dans sa structure logique. Elle est conforme au schéma *Barbara*, mais ce schéma ne donne rien si une prémisse est fausse.

Troisièmement, il peut être insuffisant. Par exemple, il peut être complètement sans rapport avec le point de vue discuté ou il peut être circulaire. Si un raisonnement tente de prouver quelque chose qui est sans rapport avec le sujet discuté, il doit être considéré comme non rationnellement justifié. Par exemple, si la question à débattre porte sur l'importance pour le pays d'avoir un nouveau premier ministre et que quelqu'un invoque comme prémisse que la province a besoin d'un nouveau ministre des finances, ce raisonnement est non rationnellement justifié puisque la prémisse passe à côté de la question. De plus, si, pour justifier cette même conclusion, quelqu'un débute un raisonnement avec la prémisse

Le pays a besoin d'un nouveau premier ministre

personne ne sera convaincu. Le raisonnement sera rejeté comme non justifié parce qu'il est circulaire: la conclusion à démontrer est utilisée comme prémisse à sa propre justification.

Nous reviendrons plus loin sur la question des raisonnements non pertinents et circulaires. Pour l'instant, il s'agit simplement de retenir les grandes lignes des différentes raisons pour lesquelles un raisonnement peut être non rationnellement justifié. En plus du premier genre d'erreur que nous appelons invalidité et qui est attribuable à un schéma invalide, nous pouvons nommer les deux autres types d'erreurs: l'insuffisance et la circularité. Un raisonnement insuffisant peut avoir une structure parfaitement logique, comme celle de *Barbara* dont nous avons déjà parlé. Dans ces raisonnements, c'est le contenu qui fait défaut. Quant aux raisonnements circulaires, bien qu'ils soient fautifs en vertu de leur forme circulaire, on les regroupe habituellement avec les raisonnements insuffisants. Bien sûr, on pourrait rencontrer un raisonnement non rationnellement justifié pour ces trois raisons. Il serait invalide, contiendrait de fausses prémisses et serait complètement à côté de la question.

Au Moyen Âge, pour exprimer son acceptation d'un raisonnement, on disait «Sequitur», ce qui veut dire «il (la conclusion) en découle». Lorsque la conclusion ne découlait pas des prémisses, on disait «Non sequitur». Aujourd'hui, nous pourrions exprimer notre désapprobation à propos d'un raisonnement en y référant comme un «non sequitur», et certaines personnes pourraient exprimer leur approbation en disant «sequitur». Toutefois, nous les qualifions habituellement de rationnellement justifiés ou injustifiés.

Le diagramme suivant illustre la classification des différents raisonnements que nous avons vus dans les deux dernières sections.

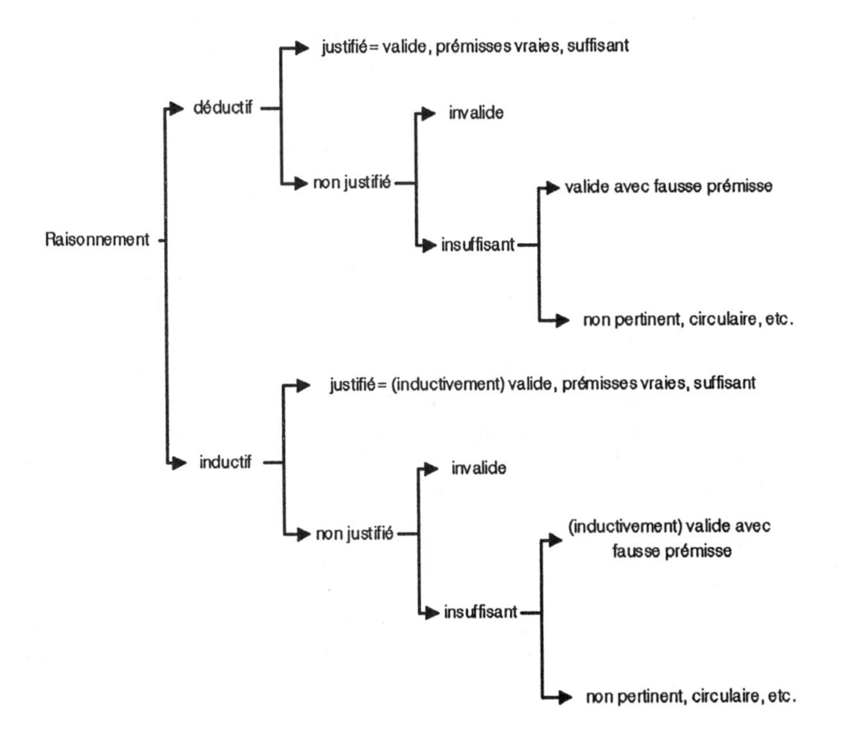

Notez bien que les subdivisions des raisonnements inductifs sont exactement les mêmes que celles des raisonnements déductifs sauf en ce qui concerne le mot «inductivement» qui précède les mots «valide» et «invalide». Nous n'avons pas traité de la validité inductive parce que c'est un peu plus complexe que la validité déductive et que cela aurait pu nous entraîner sur des chemins difficiles. Mais pour le moment, il suffit de mentionner que les distinctions sont parallèles pour les deux types de raisonnements. Par exemple, les raisonnements inductifs peuvent être rationnellement injustifiés parce qu'ils violent les principes formels, ou parce qu'ils contiennent une fausse prémisse, ou parce qu'ils sont simplement non pertinents par rapport à la question débattue.

1.3 Quelques formes importantes de validité et d'invalidité: les syllogismes

Nous cherchons à distinguer les bons raisonnements des mauvais. Ceci signifie que nous voulons distinguer les raisonnements rationnellement justifiés de ceux qui ne le sont pas et que nous devons par conséquent nous donner les moyens de décider si un raisonnement est valide ou non. Vous savez déjà comment prouver qu'un raisonnement est invalide. Rappelez-vous la procédure utilisée plus tôt. Premièrement, trouvez le schéma correspondant. Puis pensez à un autre raisonnement ayant la même structure et qui ne contient que des prémisses vraies et une fausse conclusion. Si vous réussissez, vous avez prouvé que le raisonnement en question est invalide et par conséquent non rationnellement justifié.

Toutefois, ce que nous aimerions arriver à faire, c'est de prouver que certains raisonnements sont valides. En d'autres termes, ce que nous voulons, ce sont des moyens qui nous permettent de prouver la validité et l'invalidité de certains raisonnements. Il existe plusieurs moyens pour arriver à cette fin mais la plupart d'entre eux exigent plus de technique que nous voulons en présenter. Je vais donc vous présenter un court catalogue de formes utiles et valides de raisonnements qui ont été expérimentées par des milliers d'étudiants et de logiciens et ce, depuis des centaines d'années. Afin de simplifier les choses, nous allons ignorer temporairement les erreurs de suffisance d'ici la fin du présent chapitre.

Tout d'abord, *Barbara* a quatorze cousins. Si nous utilisons les lettres «P», «G» et «M» à la place des lignes continues, brisées ou pointillées, l'ensemble se présente comme suit:

Barbara
Tout M est G
Tout P est M
Donc tout P est G

Celarent
Aucun M n'est G
Tout P est M
Donc aucun P n'est G

Darii
Tout M est G
Certains P sont M
Donc certains P sont G

Ferios
Aucun M n'est G
Certains P sont M
Donc certains P ne sont pas G

Cesare
Aucun G n'est M
Tout P est M
Donc aucun P n'est G

Camestre
Tout G est M
Aucun P n'est M
Donc aucun P n'est G

Festino
Aucun G n'est M
Certains P sont M
Donc certains P sont G

Baroco
Tout G est M
Certains P ne sont pas M
Donc certains P ne sont pas G

Disamis
Certains M ne sont pas G
Tout M est P
Donc certains P sont G

Datisi
Tout M est G
Certains M ne sont pas P
Donc certains P sont G

Bocardo
Certains M ne sont pas G
Tout M est P
Donc certains P ne sont pas G

Ferison
Aucun M n'est G
Certains M sont P
Donc certains P ne sont pas G

Camenes
Tout G est M
Aucun M n'est P
Donc aucun P n'est G

Dimaris
Certains G sont M
Tout M est P
Donc certains P sont G

Fresison
Aucun G n'est M
Certains M sont P
Donc certains P ne sont pas G

Notez que chacune de ces structures contient deux prémisses et une conclusion. De plus, seulement quatre types de schémas de propositions ont été employés. On les appelle des **schémas de propositions catégoriques.**

Tout P est G
Aucun P n'est G
Certains P sont G
Certains P ne sont pas G

Les raisonnements qui présentent ces caractéristiques sont des **syllogismes.** Donc vous avez maintenant quinze schémas syllogistiques avec lesquels vous pouvez travailler. En effet, si l'on retient que les propositions structurées d'après les formules suivantes: «tout P est G» et «aucun P n'est G» peuvent être comprises de la façon suivante: «si quelque chose est un P, alors il est aussi un G» et «si quelque chose est un P, alors il n'est pas un G», respectivement, il n'y a alors que quinze schémas syllogistiques valides. Au dix-neuvième siècle, le logicien John Venn a fait la même constatation, parce que son fameux test du diagramme de Venn portant sur la validité proposait exactement les quinze schémas que nous avons proposés. Toutefois, Aristote, l'inventeur de la théorie du syllogisme, n'arrive pas à la même constatation; sa propre liste comprend quatre formes supplémentaires. Par exemple, il ajoute «tout M est G et tout P est M, donc certains P sont G». En fait, il n'est pas essentiel, dans l'étude de la logique, d'énoncer toutes les alternatives possibles découlant de l'interprétation d'une proposition ou d'une conclusion du langage courant pour savoir si un schéma de raisonnement est valide.

Remplaçons la lettre «M» par «rongeurs», «G» par «animaux» et «P» par «écureuils» et regardons quels raisonnements nous pourrions obtenir à partir de quelques schémas syllogistiques.

Ainsi, du schéma *Darii*, nous pourrions faire le raisonnement valide suivant:

Tous les rongeurs sont des animaux.
Certains écureuils sont des rongeurs.
Donc, certains écureuils sont des animaux.

Ce raisonnement est valide parce qu'il contient des prémisses qui sont vraies et qu'il est structuré selon le schéma *Darii.* En fait, bien sûr, tous les écureuils sont des animaux et des rongeurs. La seconde prémisse et la conclusion de ce raisonnement sont donc moins fortes qu'elles pourraient l'être. Néanmoins, les affirmations plus faibles demeurent quand même vraies.

À partir du schéma valide *Cesare*, nous pourrions obtenir le raisonnement valide suivant:

Aucun animal n'est un rongeur.
Tous les écureuils sont des rongeurs.
Donc, aucun écureuil n'est un animal.

Ce raisonnement est non rationnellement justifié parce que sa première prémisse est fausse. Il est par contre parfaitement valide parce qu'il est formulé selon le schéma *Cesare*.

À partir du schéma valide *Disamis*, nous pourrions obtenir le raisonnement valide suivant:

Quelques rongeurs sont des animaux.
Tous les rongeurs sont des écureuils.
Donc, certains écureuils sont des animaux.

Ce raisonnement est non rationnellement justifié parce que sa seconde prémisse est fausse. Il est par contre parfaitement valide parce qu'il est formulé selon le schéma *Disamis*. Remarquez que, contrairement à la conclusion fausse du raisonnement que nous avons tirée de *Cesare*, celle de ce raisonnement est vraie. Ceci ne présente pas de problème particulier. Les deux raisonnements sont rejetés de toute façon parce qu'ils présentent des prémisses fausses et qu'alors, ils ne sont pas rationnellement justifiés. Le fait que l'un présente une conclusion qui soit fausse et que l'autre conduise à une conclusion qui soit vraie est sans rapport avec le fait que le raisonnement lui-même est non justifié.

Si vous portez bien attention aux similitudes, les quinze schémas de raisonnements s'avéreront très utiles. Laissez-moi vous donner un exemple. Le raisonnement suivant:

Tous ceux qui attendaient l'autobus ont été trempés par la pluie.
Paul attendait l'autobus.
Donc, Paul fut trempé par la pluie.

pourrait être considéré comme s'apparentant au schéma *Barbara*. Voici comment:

Toutes les personnes qui attendaient l'autobus sont des personnes qui ont été trempées par la pluie.
Toutes les personnes identiques à Paul sont des personnes qui attendaient l'autobus.
Donc, toutes les personnes identiques à Paul sont des personnes qui ont été trempées par la pluie.

Ici, tout ce que nous avons fait fut de reformuler des expressions comme «attendre l'autobus» en termes plus généraux comme «les personnes qui attendent l'autobus». Plusieurs mots qui impliquent la totalité d'un ensemble comme «toutes les choses», «tout le monde», «chacun» peuvent être remplacés par «tous»; ou encore une quantité limitée comme «un peu», «la plupart», «quelques» peut être remplacés par «certains» et ainsi de suite. Ainsi, par exemple,

Tous les amoureux sont mariés.
Aucune personne mariée n'est satisfaite.
Donc, aucune personne mariée n'est amoureuse.

pourra être associé au schéma *Camenes*. Ou encore

Les plombiers se sont jamais maires.
Un ou deux maires sont brutaux.
Donc, une ou deux personnes brutales ne sont pas plombiers.

pourrait être reconnu comme *Fresison* en remplaçant «jamais» par «aucun» et «un ou deux» par «certains».

Quoiqu'il en soit, même si vous êtes habiles, de tels exercices ont leurs limites. Plusieurs raisonnements valides ne peuvent être associés à des schémas syllogistiques et nous porterons notre attention sur un certain nombre d'exemples dans la prochaine section.

1.4 Autres formes de raisonnements valides et invalides: raisonnements non syllogistiques

Dans la section précédente, nous avons présenté quinze schémas de raisonnements valides dont chacun était constitué d'une combinaison de trois propositions élaborées selon les quatre schémas de propositions catégoriques. En d'autres termes, nous avons introduit quinze schémas de syllogismes. À la fin de cette section, nous avons mentionné qu'il existait des raisonnements valides qui n'étaient pas structurés selon les schémas syllogistiques. Nous les nommerons **raisonnements non syllogistiques**; leurs structures correspondent à des **schémas de raisonnements non syllogistiques.** Parfois, ces raisonnements font appel à des propositions catégoriques, mais souvent, ce n'est pas le cas. Dans la présente section, nous examinerons les plus importants types de schémas de raisonnements non-syllogistiques (et les plus utiles).

Regardons le raisonnement suivant:

Si Jean est seul, alors Robert est seul.
Jean est seul.
Donc, Robert est seul.

Le schéma du raisonnement est le suivant:

Si __________ *alors* _ _ _ _ _.
__________.
Donc, _ _ _ _ _.

Les mots si et alors que l'on rencontre dans la première ligne nous révèlent deux choses. Tout d'abord, ils nous disent que si les allégations qui suivent «si» et «alors» sont vraies toutes les deux, alors toute la proposition est vraie. Par exemple, si les allégations

Jean est seul

et

Robert est seul

sont toutes les deux vraies, alors toute la proposition

Si Jean est seul, alors Robert est seul.

est vraie. Ensuite, ils nous disent que si l'allégation suivant le «si» est vraie, mais que celle qui suit le «alors» est fausse, alors toute la proposition est fausse. Par exemple si

Jean est seul

est vrai, mais

Robert est seul

est faux, alors toute la proposition

Si Jean est seul, alors Robert est seul.

est fausse. En fait, peu importe l'allégation que nous substituons à la ligne continue suivant le «si» et à la ligne brisée qui suit le «alors». Les lignes continue et brisée peuvent être remplacées par n'importe quelle allégation (incluant le cas insignifiant où les lignes continue et brisée sont remplacées par la même allégation).

La forme

Si __________ *alors* _ _ _ _ _.
__________.

apparaît très souvent en logique. C'est ce qu'on appelle un **schéma conditionnel.** Quand une ligne continue et une ligne brisée sont remplacées par des propositions et non simplement par des termes, on parle alors de **proposition conditionnelle.** La proposition qui suit le «si» se nomme l'**antécédent** de la condition et celle qui suit le «alors» se nomme conséquence. Ainsi,

Jean est seul.

est l'antécédent et

Robert est seul

est la conséquence. Dans différentes propositions conditionnelles, l'antécédent et la conséquence peuvent être complètement inversés.

Le schéma de raisonnement

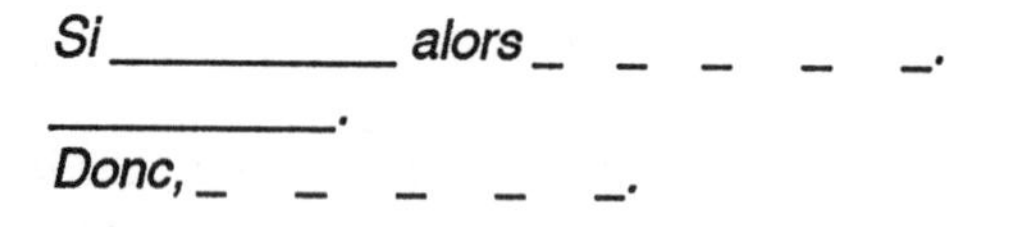

est aussi ancien que *Barbara*, et a revêtu plusieurs appellations. En latin, on le nommait «modus ponendo ponens», ce qui signifie «le modèle qui affirme en affirmant». Il s'agit d'une appellation assez descriptive parce que quelqu'un qui utilise un raisonnement respectant ce schéma commence par une proposition conditionnelle, affirme un antécédent comme seconde prémisse et termine en isolant et en affirmant la conséquence elle-même. Donc, lorsqu'on suit ce schéma, on affirme en affirmant.

Si nous commençons par une proposition conditionnelle, poursuivons en affirmant la conséquence et revenons en conclusion avec l'antécédent, nous commettons le **sophisme de l'affirmation de la conséquence.** Si nous utilisons les minuscules «p», «q» et «r» au lieu du langage courant, nous pouvons schématiser le **mode conditionnel valide** comme suit:

Si *p* alors *q*
p
Par conséquent, *q*

et le sophisme de l'affirmation de la conséquence ainsi:

Si *p* alors *q*
q
Par conséquent, *p*

Il est possible de remplacer les symboles de ce schéma de telle sorte que les deux prémisses soient vraies et que la conclusion soit fausse. Par exemple

Si Anne dessine un carré, alors Anne dessine un polygone
Anne dessine un polygone
Par conséquent, Anne dessine un carré.

En fait, les deux prémisses peuvent être vraies même si Anne ne dessine pas un carré. Contrairement au modèle affirmatif, ce schéma n'est pas fiable parce qu'il peut nous conduire à une conclusion fausse.

Le modèle qui nie en niant (modus tollendo tollens) est semblable au modèle affirmatif et est aussi ancien. Nous le nommons plus simplement le **modèle négatif.** Son schéma valide se lit comme suit:

Si *p* alors *q*
Non **q**
Par conséquent, non *p*

Ici, nous commençons avec une proposition conditionnelle dont la conséquence est niée dans la seconde prémisse et dont l'antécédent est isolé et nié dans la conclusion. Par exemple,

Si Théophile est à la maison, alors son manteau doit être ici.
Mais son manteau n'est pas ici.
Donc, Théophile n'est pas à la maison.

On voit bien qu'en fait, nous nions en niant.

Si nous commençons par une proposition conditionnelle, que nous nions l'antécédent dans la seconde prémisse et que nous isolons et nions la conséquence dans la conclusion, nous commettons le **sophisme de la négation de l'antécédent.** La structure de ce sophisme se lit comme suit:

> Si *p*, alors q
> Non *p*
> Par conséquent, non *q*

L'exemple suivant montre bien que ce n'est pas valide:

> *Si Anne dessine un carré, alors Anne dessine un polygone*
> *Mais Anne ne dessine pas un carré*
> *Par conséquent, Anne ne dessine pas un polygone.*

En fait, Anne pourrait très bien dessiner un polygone même si les deux prémisses sont vraies.

Le schéma valide suivant pourra vous rappeler *Barbara*:

> Si *p*, alors *q*
> Si *q*, alors *r*
> Donc, si *p*, alors r

Nous l'appelons la **transitivité.** Voici d'ailleurs un exemple de transitivité:

> *Si Thomas rentre à la maison alors, Jacques rentre à la maison.*
> *Si Jacques rentre à la maison, alors la fête est finie.*
> *Donc si Thomas rentre à la maison, alors la fête est finie.*

Remarquez que même si le schéma transitif vous rappelle *Barbara*, il ne comporte pas de propositions catégoriques et que les symboles doivent être remplacés par des allégations plutôt que par des termes généraux.

Le dernier schéma de raisonnement valide que nous devons considérer se nomme le **dilemme constructif.** Il se lit comme suit:

> Si *p*, alors *q*
> Si *r*, alors *s*

p ou *r*
Alors, *q* ou *s*

Cela semble complexe à première vue, mais en fait, il s'agit simplement de deux modèles affirmatifs juxtaposés:

Si *p*, alors q		Si *r*, alors *s*
p	ou	*r*
Alors, *q*		*s*.

Voici un exemple respectant le schéma du dilemme constructif:

Si Hélène parle alors, Harold est silencieux.
Si Carole parle alors, Martin est silencieux.
Ni Carole ni Hélène ne vont parler.
Donc, ni Harold ni Martin ne seront silencieux.

Il faut toutefois noter que le schéma de la proposition conditionnelle que nous avons exprimé comme

Si *p* alors *q*

peut être aussi exprimé sans le mot «alors»:

si *p*, *q*

et en inversant les positions de l'antécédent et de la conséquence, comme suit:

q si *p*
q à condition que *p*
q dans le cas où *p*

Nous pouvons donc constater que le modèle affirmatif peut être exprimé de diverses façons

q si *p*	si *p*, alors *q*	*q* au cas où *p*
p	*p*	*p*
Donc, *q*	Donc, *q*	Donc, *q*

Enfin, il est aussi possible de faire ce genre d'inversion dans le cas des autres schémas.

Exercices

I Répondez aux questions suivantes

1 Qu'est-ce que la logique?

2 Quelle est la différence entre la logique déductive et la logique inductive?

3 Qu'est-ce qu'un raisonnement?

4 Quelles sont les principales composantes d'un raisonnement?

II Construisez quelques exemples de raisonnements déductifs et inductifs.

III Quelle est la différence entre:

1 Une proposition et un schéma de proposition?

2 Un raisonnement et un schéma de raisonnement?

3 Un schéma de raisonnement valide et un schéma de raisonnement invalide?

4 Un raisonnement rationnellement justifié et un raisonnement non rationnellement justifié?

5 Une erreur formelle et informelle?

IV Donnez trois motifs pour lesquels un raisonnement peut être considéré comme rationnellement non justifié.

____

____

V Comment peut-on déterminer si, dans un schéma de raisonnement, les symboles ont été remplacés de façon uniforme et cohérente?

____

____

____

____

____

VI Répondez en encerclant «vrai» ou «faux».

1 Les prémisses d'un raisonnement valide doivent être vraies.

vrai faux

2 Quelques prémisses d'un raisonnement valide doivent être vraies.

vrai faux

3 Un raisonnement rationnellement justifié est un schéma de raisonnement.

vrai faux

4 Un raisonnement non rationnellement justifié peut être valide.

vrai faux

5 Un schéma de proposition doit être vrai.

vrai faux

6 Un schéma de proposition doit être vrai ou faux.

vrai faux

7 Tout raisonnement contenant uniquement des prémisses vraies et un schéma valide est rationnellement justifié.

vrai faux

8 Tout raisonnement contenant des prémisses et une conclusion vraies est valide.

vrai faux

9 Tout raisonnement contenant des prémisses et une conclusion vraies est rationnellement justifié.

vrai faux

10 Les prémisses d'un raisonnement valide garantissent la véracité de sa conclusion.

vrai faux

11 Tous les raisonnements insuffisants contiennent des prémisses fausses.

vrai faux

12 Si l'une ou l'autre des prémisses est fausse, la conclusion est nécessairement fausse.

vrai faux

13 Un raisonnement contenant une fausse prémisse est insuffisant.

vrai faux

14 Certains raisonnements valides sont rationnellement justifiés.

vrai faux

15 Un schéma de raisonnement valide est nécessairement rationnellement justifié.

vrai faux

VII Expliquez les termes suivants:

1 syllogisme

____

____

____

2 schéma syllogistique

____

____

____

3 schéma de proposition catégorique

____

____

____

VIII Vérifiez la validité des syllogismes suivants en comparant leur structure avec les schémas de la section 1.3 et encerclez la bonne réponse.

1 Certains généraux sont colériques.
Tous les colériques sont peureux.
Donc, certains peureux sont des généraux.

valide invalide

2 Aucun bipède n'est une pieuvre.
Tous les bipèdes sont des animaux terrestres.
Donc, aucun animal terrestre n'est une pieuvre.

valide invalide

3 Aucun phoque n'est un cygne.
Certains oiseaux sont des cygnes.
Donc, certains oiseaux ne sont pas des phoques.

valide invalide

4 Tous les putois sont bagarreurs.
Aucun chat siamois n'est un putois.
Donc, aucun chat siamois n'est bagarreur.

valide invalide

5 Tous les philosophes sont tranquilles.
Tous les nuages sont tranquilles.
Donc, tous les nuages sont philosophes.

valide invalide

6 Certaines choses rondes sont des bulles.
Certaines têtes sont rondes.
Donc, certaines têtes sont des bulles.

valide invalide

7 Aucun homme n'est une île.
Toutes les oasis sont des îles.
Donc, aucune oasis n'est un homme.

valide invalide

8 Le bon café peut être réchauffé.
Le bon café est imbattable.
Donc, le café qui peut être réchauffé est imbattable.

valide invalide

9 Un mille-pattes a mille pattes.
Les insectes qui ont mille pattes ne dansent jamais.
Donc, certains mille-pattes ne dansent jamais.

valide invalide

10 Certains médicaments ont un goût terrible.
Aucun sandwich au jambon n'a un goût terrible.
Donc, aucun médicament n'est un sandwich au jambon.

valide invalide

IX Habituellement, les syllogismes ne nous sont pas exprimés dans la forme que nous connaissons. Il est possible que la conclusion se présente en premier ou entre les deux prémisses ou après celles-ci. Certains marqueurs de relation permettent d'identifier la conclusion. Les mots «ainsi», «par conséquent», «donc», «alors» et «il s'en suit que» sont généralement des indices qui annoncent une conclusion. De la même manière, certains mots comme «or», «parce que», «puisque» sont habituellement des indices annonçant une prémisse. En gardant ces marqueurs de relation à l'esprit et en portant une attention particulière au sens des propositions, il est possible de séparer les justifications d'une conclusion de la conclusion elle-même. Parfois, bien sûr, il n'y a pas de distinction évidente entre les deux. Dans ce cas, il n'y a tout simplement pas de raisonnement. C'est aussi le cas quand il n'y a pas d'indice de prémisse ou de conclusion et quand on rencontre une foule de termes comme «et», «alors que», «quoi qu'il en soit», etc.
Identifiez parmi les phases suivantes lesquelles sont des raisonnements et vérifiez leur validité en les comparant aux schémas de la section 1.3. S'il ne s'agit pas d'un raisonnement, indiquez «ne s'applique pas». Encerclez la bonne réponse.

1 Puisque tous les oiseaux mangent des vers et que certains oiseaux sont des poulets, certains poulets sont des mangeurs de vers.

valide invalide ne s'applique pas

2 Aucun hautbois n'a une sonorité aiguë et tous les hautbois sont des instruments à vent et certains instruments à vent n'ont pas une sonorité aiguë.

valide invalide ne s'applique pas

3 Parce que tous les radiateurs sont en métal, quelques appareils de chauffage sont en métal étant donné que tous les radiateurs sont des appareils de chauffage.

valide invalide ne s'applique pas

4 Certaines blondes sont en santé parce que certaines Allemandes sont en santé et que toutes les Allemandes sont blondes.

valide invalide ne s'applique pas

5 Aucun meurtrier n'est gentil; donc certains garçons ne sont pas des meurtriers étant donné que certains garçons sont gentils.

valide invalide ne s'applique pas

6 Toutes les boules de neige sont blanches; donc puisque certains morceaux de charbon ne sont pas blancs, certains morceaux de charbon ne sont pas des boules de neige.

valide invalide ne s'applique pas

7 Tous les poètes sont ivrognes, et certains hommes sont poètes; donc, certains hommes sont ivrognes.

valide invalide ne s'applique pas

8 Tous les oeufs sont fragiles, mais tous les poulets ne sont pas des oeufs, et tous les poulets ne sont pas fragiles.

valide invalide ne s'applique pas

9 Certaines pétrolières ne sont pas riches; ainsi, puisque toutes les pétrolières sont des compagnies albertaines, certaines compagnies albertaines ne sont pas riches.

valide invalide ne s'applique pas

10 Puisqu'aucun tapis n'est islamique et que tous les tapis sont tressés, il s'en suit que certains objets tressés ne sont pas islamiques.

valide invalide ne s'applique pas

X Expliquez les termes suivants:

1 antécédent

____

____

____

2 conséquence

____

____

____

3 schéma de la proposition conditionnelle

XI Quelle est la différence entre:

1 le modèle affirmatif et le sophisme de l'affirmation de la conséquence.

2 le modèle négatif et le sophisme de la négation de l'antécédent

XII Indiquez selon quel schéma les arguments suivants sont construits:

(ma)	modèle affirmatif
(sac)	sophisme de l'affirmation de la conséquence
(mn)	modèle négatif
(sna)	sophisme de la négation de l'antécédent
(st)	schéma transitif
(dc)	dilemme constructif
(n)	aucune de ces réponses

1 Le laitier n'est pas un homme sévère si le général est honnête. Le général n'est pas honnête. Alors, le laitier est sévère.

(mh)

2 Une perte de temps survient habituellement quand un éclaireur est malade. Un éclaireur est malade. Donc, il surviendra une perte de temps.

(~~Sac~~ ma)

3 Si Suzanne utilisait le savon Ivory, alors elle aurait plus d'amis. Si elle avait plus d'amis, elle serait heureuse. Donc, elle devrait utiliser le savon Ivory.

(st n)

4 Au cas où vous seriez intéressés, il y a un serpent dans votre salle de bain. Il ne doit pas y avoir de serpent dans votre salle de bain. Donc, vous ne devriez pas être intéressés.

(__________)

5 Si Édouard est mort, alors Raymond est mort. Si François a volé une banque alors François est en prison. Édouard n'est pas mort et François n'a pas volé de banque. Donc, Raymond n'est pas mort et François n'est pas en prison.

(__________)

6 Un garçon se doit d'être gentil uniquement lorsqu'il n'est pas surveillé. S'il n'est pas surveillé, alors il prendra un coup. Donc un garçon prendra un coup à condition qu'il soit gentil.

(__________)

7 Ou bien Lola est simple d'esprit ou François est astucieux. François n'est pas astucieux puisqu'il est ivre.

(__________)

8 Si je t'avais envoyé un cheval à chaque fois que tu t'es mis en colère, tu aurais une chambre pleine de chevaux. Tu n'as pas une chambre pleine de chevaux. Je ne t'ai pas envoyé un cheval à chaque fois que tu t'es mis en colère.

(__________)

9 Cet arbre perdra ses feuilles si c'est naturel. Cet arbre perdra ses feuilles. Alors, c'est naturel.

(__________)

10 Ce fil conduira le courant électrique à la condition qu'il soit en cuivre. Si ce fil conduit le courant électrique, alors Richard sera surpris. Donc si ce fil est en cuivre, Richard sera surpris.

(__________)

11 Si Andrée est soit malade soit impatiente, alors Samuel devrait être ici. Samuel n'a pas été malade. Donc, Andrée n'est ni malade ni impatiente.

(__________)

12 Aucun gréviste de la faim ne mourra de faim s'il reste calme. Mais aucun gréviste de la faim ne reste calme. Donc tous les grévistes de la faim vont mourir.

(__________)

13 Roger est malade dans le cas où Suzanne est malheureuse. Richard est malade à condition que Daphné soit malheureuse. Ou bien Suzanne ou bien Daphné est malheureuse. Alors, ou bien Roger ou bien Richard est malade.

14 Si un taureau est seul dans le champ, alors le cheval a mangé du foin. Un épi de maïs est bon dans le cas où le cheval a mangé du foin. Il s'ensuit que le taureau est seul dans le champ seulement si l'épi de maïs est bon.

(__________)

15 Ou bien il y a un voleur dans cette pièce ou bien quelqu'un ment. Quelqu'un ment. Il n'y a donc pas de voleur dans cette pièce.

(__________)

16 Jean essaie d'attraper son autobus à condition que Marguerite n'aide pas Marie. Marguerite n'aide pas Marie. Jean essaie donc d'attraper son autobus.

(__________)

17 Un imbécile peut gagner ton coeur si tu es plus imbécile encore. Un imbécile ne peut gagner ton coeur. Donc, tu n'es pas plus fou.

(__________)

18 Si la vitesse augmente, alors la pression diminuera. La pression ne diminue que si la pompe est brisée. Donc, la pompe est brisée à condition que la vitesse augmente.

19 Si la théorie ondulatoire de la lumière se tient, alors la lumière voyage plus rapidement dans l'air que dans l'eau. La lumière voyage plus rapidement dans l'air que dans l'eau. Donc, la théorie ondulatoire de la lumière se tient.

(__________)

« Prendre pour accorder, sous une forme un peu différente, la thèse même qu'il s'agit de démontrer »

PÉTITION

— Voc. tech et crit(?) de la philo. —

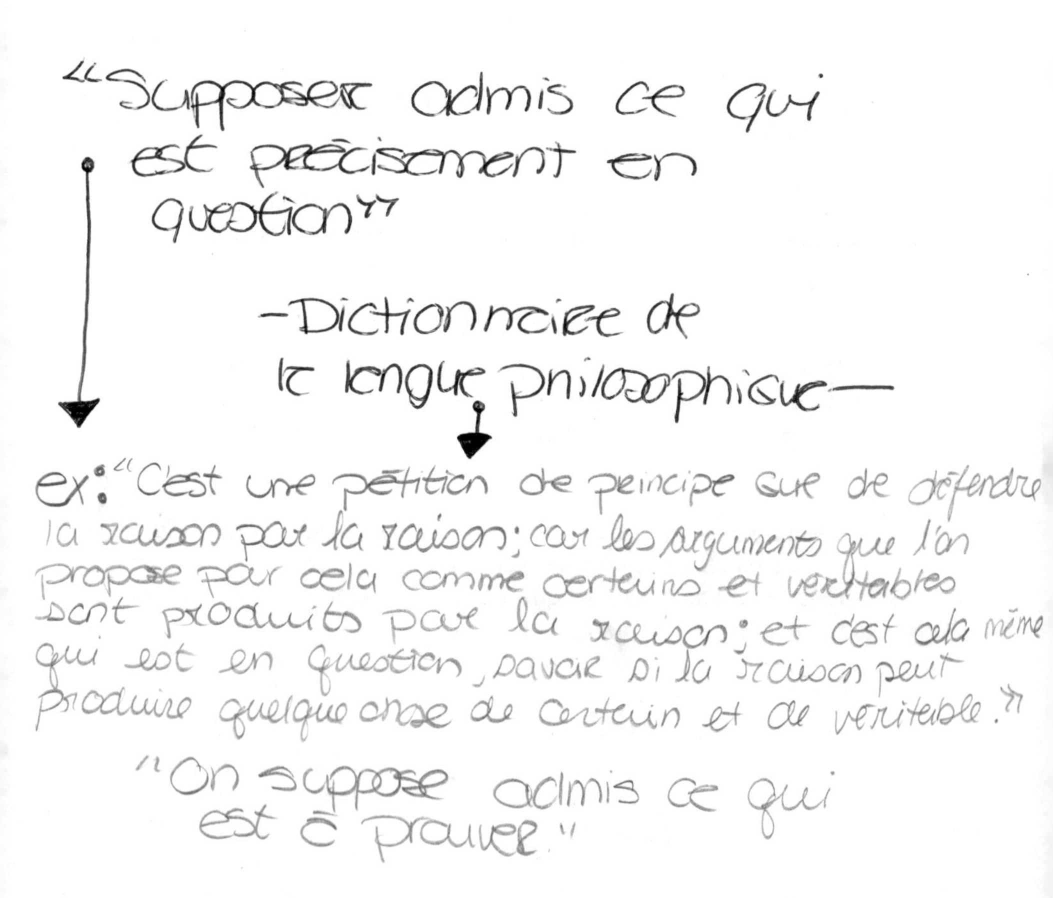

« Supposer admis ce qui est précisément en question »

— Dictionnaire de la langue philosophique —

ex : « C'est une pétition de principe que de défendre la raison par la raison ; car les arguments que l'on propose pour cela comme certains et véritables sont produits par la raison ; et c'est cela même qui est en question, savoir si la raison peut produire quelque chose de certain et de véritable. »

« On suppose admis ce qui est à prouver. »

Chapitre deux

La pétition de principe

«La tâche de l'éducateur consiste à s'assurer que le plus grand nombre possible d'idées acquises par les étudiants le soient d'une manière si vitale qu'elles deviennent des idées motrices, des idées-forces pour guider leur conduite.»

John Dewey

Une argumentation peut être rationnellement injustifiée pour trois raisons. Tout d'abord sa construction peut être invalide. D'autre part, elle peut contenir une fausse prémisse, ou enfin elle peut impliquer une erreur informelle. Ce dernier type d'erreurs est habituellement lié au contenu (plutôt qu'à la forme) il s'agit d'une erreur de suffisance.

Nous avons examiné deux erreurs formelles dans le chapitre précédent, soit *affirmer la conséquence* et *nier l'antécédent*. Dans les chapitres suivants, nous examinerons les erreurs de suffisance. En français on les nomme sophismes alors qu'en anglais on utilise le terme *fallacies* qui vient du latin *fallere* (tromper) ou *fallacia* (tromperie). Et comme nous le verrons bientôt, bien des sophismes ne sont rien d'autre que des fourberies. Ils peuvent être intentionnels ou non, mais ils sont toujours trompeurs. D'un point de vue moral, il est très important de distinguer ce qui est intentionnel de ce qui ne l'est pas: on peut parler de fourberie lorsque le sophisme est intentionnel, mais tout simplement d'erreur lorsque ce n'est pas voulu. Mais d'un point de vue logique, cette distinction n'est pas importante parce que nous ne nous occupons que de l'erreur elle-même et non pas de la personne qui la commet. Nous espérons qu'en les identifiant et en les nommant nous pourrons plus facilement les éviter.

Plusieurs logiciens ont suggéré différentes manières de classifier les sophismes, et il n'y a pas vraiment d'accord sur le nombre et les types de sous-catégories nécessaires à un classement exhaustif. Du point de vue de la clarté, c'est dommage qu'aucune classification satisfaisante n'ait été mise au point. Mais d'un point de vue pratique (en autant que notre première préoccupation soit la reconnaissance des sophismes), une telle classification n'est pas nécessaire. On peut accomplir beaucoup sans elle. C'est pourquoi seul un objectif d'utilité pratique a présidé à l'élaboration de notre propre classification des sophismes.

Afin d'éviter toute frustration ou discussion, il faut admettre dès le départ que, compte tenu de la richesse de la langue, des antécédents et des intérêts divers des lecteurs, des limites de mon génie créateur et de la diversité des sophismes et des stratégies trompeuses, il est presque impossible de garantir que chaque exemple et exercice que je donnerai n'illustrera qu'un type d'erreur. Malgré tous les efforts de rigueur, on ne peut éviter certains cas ambigus.

Nous défendons rarement un point de vue que nous n'adoptons pas, et conséquemment nous prétendons souvent que le point de vue que nous préférons est vrai. Ainsi quand nous argumentons pour soutenir nos opinions, il arrive souvent que nous prenons pour acquis la justesse du point de vue dont nous devrions précisément faire la preuve. Dans un tel cas, nous commettons une pétition de principe parce que nous affirmons la vérité d'un principe alors qu'il n'est pas évident. De tels arguments sont injustifiés mais valides, c'est-à-dire ne contiennent pas d'erreur de forme. Ils sont injustifiés parce que la question qui est débattue est présupposée plutôt que démontrée. Dans le présent chapitre, nous étudierons huit façons plus ou moins subtiles de commettre ce sophisme.

2.1 *La certitude alléguée*

Présenter un jugement comme absolument certain, comme échappant à toute remise en question, est une façon de le défendre contre toute attaque. Si l'interlocuteur peut être convaincu tout de suite de la vérité de ce que vous affirmez, vous n'avez pas besoin de construire une démonstration rigoureuse. Il va de soi que certaines affirmations sont évidentes, et que ce n'est pas un sophisme de le prétendre. Cependant, si une affirmation est présentée de façon à nous persuader (sans démontrer) qu'elle est vraie hors de tout doute, alors on est en présence du sophisme de la *certitude alléguée*. Par exemple, examinez la différence d'intensité des affirmations suivantes:

La population de la Californie est plus nombreuse que celle de New-York.

Personne ne mettrait en doute que la population de la Californie est plus nombreuse que celle de New-York.

Ce serait une folie de nier que la population de la Californie est plus nombreuse que celle de New-York.

Chacun sait que la population de la Californie est plus nombreuse que celle de New-York.

La première affirmation dit essentiellement la même chose que les trois autres, mais ces dernières ont l'air plus convaincantes. Elles semblent plus persuasives. Elles tendent à endormir notre esprit critique avant qu'il se manifeste. En fait, si nous reconstituons chacun de ces raisonnements, les trois derniers énoncés seraient la prémisse dans un raisonnement à une prémisse dont la conclusion serait le premier énoncé. Pourtant même si cet énoncé peut être vrai, il n'est pas évident. C'est pourquoi si l'on soutient l'évidence d'une conclusion de cette façon, on commet le sophisme de la *certitude alléguée*.

Résumé: c'est une affirmation qui se veut vraie hors de tout doute, sans la démontrer clairement

Exemple personnel:

2.2 Les qualificatifs tendancieux évaluation

Lorsqu'en décrivant un sujet, on utilise des adjectifs qui ne font pas que décrire, mais qui plutôt évaluent (impliquent un jugement), on commet le sophisme de l'appel aux *qualificatifs tendancieux*. Au lieu de présenter le sujet en des termes neutres, non biaisés, on le présente en utilisant des qualificatifs élogieux ou, au contraire, désavantageux. Comparez, par exemple, les affirmations suivantes:

Le ministre du revenu a présenté une nouvelle loi de l'impôt.

Le ministre du revenu a présenté une loi sur l'impôt tout à fait nécessaire et attendue depuis longtemps.

Le ministre du revenu a présenté un nouveau truc fiscal pour remplir les poches du gouvernement.

L'expéditif ministre du revenu a précipité une autre loi de l'impôt pour profiteurs.

Dans chacune des trois dernières affirmations, l'événement n'est pas seulement décrit, mais il est jugé, et l'évaluation est présentée comme si c'était un simple fait. C'est un sophisme, celui de l'appel aux *qualificatifs tendancieux*.

Résumé: c'est une affirmation ayant des adj. qui évaluent et qui jugent et qui [illegible] donne tendance à l'œuvre ainsi.

Exemple personnel: ______________________

2.3 Le raisonnement circulaire

Ce sophisme apparaît lorsque la conclusion d'un raisonnement quelconque est soit utilisée comme prémisse, soit présupposée par une prémisse. Examinons par exemple les raisonnements suivants:

Si Dieu n'existait pas, les hommes ne pratiqueraient pas de religion.
Les hommes pratiquent une religion.
Donc Dieu existe.

Si Dieu n'existait pas, les hommes ne devraient pas croire tout ce qui est écrit dans la Bible.
Mais les hommes doivent croire tout ce qui est écrit dans la Bible.
Donc Dieu existe.

L'âme est simple parce qu'elle est immortelle, et elle doit être immortelle parce qu'elle est simple.

Comme la conclusion des deux premiers exemples est que Dieu existe, l'existence de Dieu est évidemment le sujet dont il est question. La deuxième prémisse du premier raisonnement affirme que les hommes pratiquent une religion. Mais les hommes ne pratiquent une religion que si Dieu existe, puisque que les hommes ne pratiquent pas une religion sans référer à un Dieu. Ainsi, si on admet la vérité de cette prémisse, la question débattue est tranchée en faveur de l'existence de Dieu. En fait, ce raisonnement «prouve» l'existence de Dieu après que cette existence soit elle-même admise, le raisonnement est donc *circulaire.*

Il en est de même pour le deuxième raisonnement. Sa seconde prémisse n'est vraie que si Dieu existe puisque les hommes ne sont pas obligés de croire des faussetés et qu'une des affirmations de la Bible est justement que Dieu existe. Et ainsi, si on admet la vérité de cette prémisse, alors la question débattue est encore tranchée en faveur de l'existence de Dieu, et encore ici le raisonnement est *circulaire.*

Le troisième raisonnement est celui où ce sophisme est le plus évident. La simplicité de l'âme est supposée se conclure de son immortalité alléguée, et cette dernière est «prouvée» par le recours à cette même simplicité. Ainsi, la simplicité de l'âme est «prouvée» par ce raisonnement après que cette simplicité soit admise. Le raisonnement est alors *circulaire.*

Résumé: ______________________________

Exemple personnel: ______________________________

2.4 Les définitions tendancieuses

Ce sophisme se produit lorsque quelques mots essentiels d'un énoncé possiblement vrai mais discutable sont définis de telle façon que l'on considère cet énoncé comme certain et non seulement possible. Supposons, par exemple, qu'on affirme que tous les fermiers sont de mauvais élèves. Et voici qu'un homme qui s'adonne à l'agriculture depuis dix ans se révèle être un excellent élève. Plutôt que d'admettre ce cas qui contredit l'affirmation générale, on pourrait définir «fermiers» comme tous ceux qui pratiquent l'agriculture depuis vingt ans. Et si un producteur laitier depuis vingt ans se révèle à son tour être un excellent élève, on affirmera qu'un producteur laitier n'est pas «vraiment» un fermier. De même, un éleveur de vison n'est pas un «vrai» fermier. Petit à petit, il devient évident que l'affirmation générale ne peut jamais être contredite parce que le concept «fermiers» est sans cesse redéfini pour contrer toutes les oppositions. Tous les fermiers sont mauvais élèves parce que n'importe lequel d'entre eux qui est bon élève est immédiatement exclu de la catégorie des fermiers. La vérité de l'affirmation à démontrer est garantie par la constante définition tendancieuse du mot «fermiers». Par conséquent, même si l'affirmation ne peut pas être remise en question, elle ne peut non plus être justifiée.

Supposons qu'on affirme qu'un bon joueur de football ne se déplace jamais vers ses propres buts, c'est-à-dire qu'il se dirige toujours vers les buts adverses. Ensuite on précise que certains joueurs qui sont habituellement considérés comme de bons joueurs s'éloignent des buts adverses de façon assurer un lancer plus long. Pour sauver l'affirmation de départ par une définition tendancieuse, on pourrait affirmer que même si ces joueurs sont considérés comme bons, ils ne sont pas «vraiment» bons. Les gens qui connaissent «vraiment» le football ne les considèrent jamais comme de bons joueurs parce que, évidemment, quiconque les considère comme de bons joueurs ne comprend justement rien au football. Et ça continue, puisque les faits ne peuvent ébranler l'affirmation générale parce que sa vérité est garantie par des définitions.

De même, on pourrait soutenir que les Italiens aiment la musique parce que quiconque n'aime pas la musique soit n'est pas Italien du tout ou l'est seulement partiellement. Les problèmes mathématiques sont clairs parce que les problèmes compliqués ne sont jamais «réellement» mathématiques. Les criminels ne peuvent être réhabilités parce que quiconque peut être réhabilité n'est pas «vraiment» un criminel. Dans chaque cas, la vérité d'une affirmation soi-disant empirique est garantie par le sophisme de la *définition tendancieuse*.

Résumé: Tendance à être vraie, et que la déf. tout à changer → distinction pas assez précises.

Exemple personnel:

2.5 *Les questions tendancieuses*

On commet ce sophisme chaque fois qu'une question est formulée de telle sorte qu'on ne puisse y répondre sans admettre une réponse déterminée. Par exemple, supposons que la question dont on débat est de savoir si Mathieu a déjà été au casino le dimanche. Sa belle-mère utilise la question tendancieuse: *Vas-tu encore au casino le dimanche?* Que Mathieu réponde oui ou non à cette question, il ne peut en apparence faire autrement qu'admettre qu'il a déjà été au casino le dimanche, et c'était là le sujet débattu.

Supposons qu'on cherche à savoir si Alice doit prendre un train pour Québec ou y aller avec l'auto de son père. Son père lui pose la question tendancieuse: *Prendras-tu le train de 8:40 ou celui de 10:30?* Peu importe quelle option Alice choisira, la question en jeu a déjà été tranchée à sa place.

Finalement, supposons que l'on cherche si l'on doit réparer la vieille auto ou en acheter une neuve. Et alors le vendeur d'automobiles posera cette question: *Quelle sorte de voiture recherchez-vous?* Pour le vendeur la question est déjà réglée. Mais en vérité le sophisme de la *question tendancieuse* vient d'être commis.

Résumé: Question qui contient la rép. que l'on veut entendre.

Exemple personnel: ______________________________

2.6 *La supposition d'une affirmation plus générale*

Ce sophisme est commis quand on prend pour acquis un principe qui est plus général et qui implique une réponse à la question dont on débat. Par exemple, supposons qu'on tente de prouver que les lois de la sociologie sont incertaines et peu fiables. On pourrait soutenir cette affirmation en supposant un énoncé plus général disant que toute connaissance au sujet des êtres humains est incertaine ou que le comportement humain est «essentiellement» imprévisible. S'il est question de savoir si les États-Unis doivent s'allier à la Russie, on pourrait prendre pour acquis qu'aucune alliance ne devrait être formée avec d'ex-pays communistes. Si la question porte sur la pertinence de réviser la note d'un élève, un professeur pourrait supposer l'affirmation plus générale que jamais une note ne mérite d'être révisée.

Résumé: motif donné, non justifié
supposition de la vérité par

Exemple personnel:

2.7 *La supposition de chaque manifestation d'une généralisation*

Si le sujet dont on débat est une affirmation générale ou un principe, le sophisme de la *supposition de chaque manifestation d'une généralisation* peut être commis en supposant la vérité de chaque cas particulier correspondant à cette généralisation. Supposons, par exemple, que le sujet dont il est question consiste à déterminer si les États-Unis devraient conclure une alliance avec les ex-pays communistes; on pourrait répondre par la négative à l'aide d'un sophisme supposant que les États-Unis ne devraient pas conclure d'alliance avec la Russie, la Roumanie, l'Albanie, etc. La supposition s'effectue sur chaque cas particulier.

Supposons que le débat porte sur l'admission des étudiants étrangers dans nos écoles. Si on utilise le sophisme de la *supposition de chaque manifestation d'une généralisation*, on présumera que chaque candidature étrangère, prise une à une, est inacceptable. Alors que la question plus générale est laissée en suspens, le sujet est pourtant clos dans la mesure où la réponse est incluse dans chaque cas particulier qui est rencontré.

Résumé:

Exemple personnel:

2.8 *Les expressions équivalentes*

Lorsqu'on adopte une réponse en utilisant des termes que l'on présente comme équivalents (mais qui le sont plus ou moins), on commet ce sophisme. Par exemple, supposons un journal étudiant dans un collège donné. Un citoyen respectable des alentours s'offusque du contenu pornographique et blasphématoire de certains articles. Il écrit des lettres cinglantes au directeur, au journal régional, au député, au curé, à sa mère, et à bien d'autres personnes encore. Le directeur répond qu'il fera enquête et qu'il est probable que les étudiants impliqués aient été appuyés par des membres mécontents du personnel. D'une façon détournée le directeur admet le bien-fondé de la dénonciation. On s'attend à ce que des membres du personnel appuient la publication de textes convenables. On s'attend à ce que des membres mécontents encouragent la publication de textes discutables. Ainsi, en référant à des membres du personnel «mécontents», le directeur appuie les accusations du citoyen, c'est-à-dire il fait un sophisme en faisant appel à une *expression équivalente* quoiqu'un peu déguisée. Des cas plutôt évidents de ce sophisme se rencontrent lorsqu'on transforme ou inverse des phrases. Par exemple, si la question débattue est *Y a-t-il des cow-boys millionnaires?* on commet ce sophisme en affirmant *Certains millionnaires sont cow-boys* en guise de prémisse. Si la question est *Tous les Texans sont-ils des cow-boys?* on peut commettre ce sophisme en affirmant *Tous ceux qui ne sont pas cow-boys ne sont pas Texans* en guise de prémisse.

Résumé: ____

____

____

____

Exemple personnel: ______________________________________

____

____

____

Exercices

I Nommez le type de sophisme contenu dans les énoncés suivants:

1 Le spectateur Faut-il que chaque joueur de l'équipe de basket mesure plus de six pieds?
L'entraîneur Disons que le joueur de centre, les deux défenseurs et les deux ailiers le doivent.

____

2 Le journaliste Les chasseurs sont-ils plus insensibles que les philatélistes?
Le pacifiste Les chasseurs sont les personnes le plus insensibles au monde.

____

3 L'étudiant Pourquoi y a-t-il de jeunes délinquants?
Le sociologue Parce que plusieurs jeunes enfreignent la loi et ils le font parce qu'ils sont de jeunes délinquants.

____

4 Ainsi que toute personne sensée peut vous le dire, tous les Siciliens portent un couteau.

____

5 Le procureur A-t-il menti?
Le témoin Son histoire était volontairement trompeuse.

____

6 Le client Johanne a-t-elle dessiné cette maison?
L'entrepreneur Il n'y a pas d'architectes féminins.

____

7 Marcel Peut-on faire confiance à Samuel?
Samuel Tu veux dire peut-on faire confiance à ce fidèle vieux Sam?

____

8 Est-ce que Robert suce encore son pouce?

____

9 Tout le monde sait qu'on ne peut faire confiance à quelqu'un qui est né près d'un robinet qui fuit.

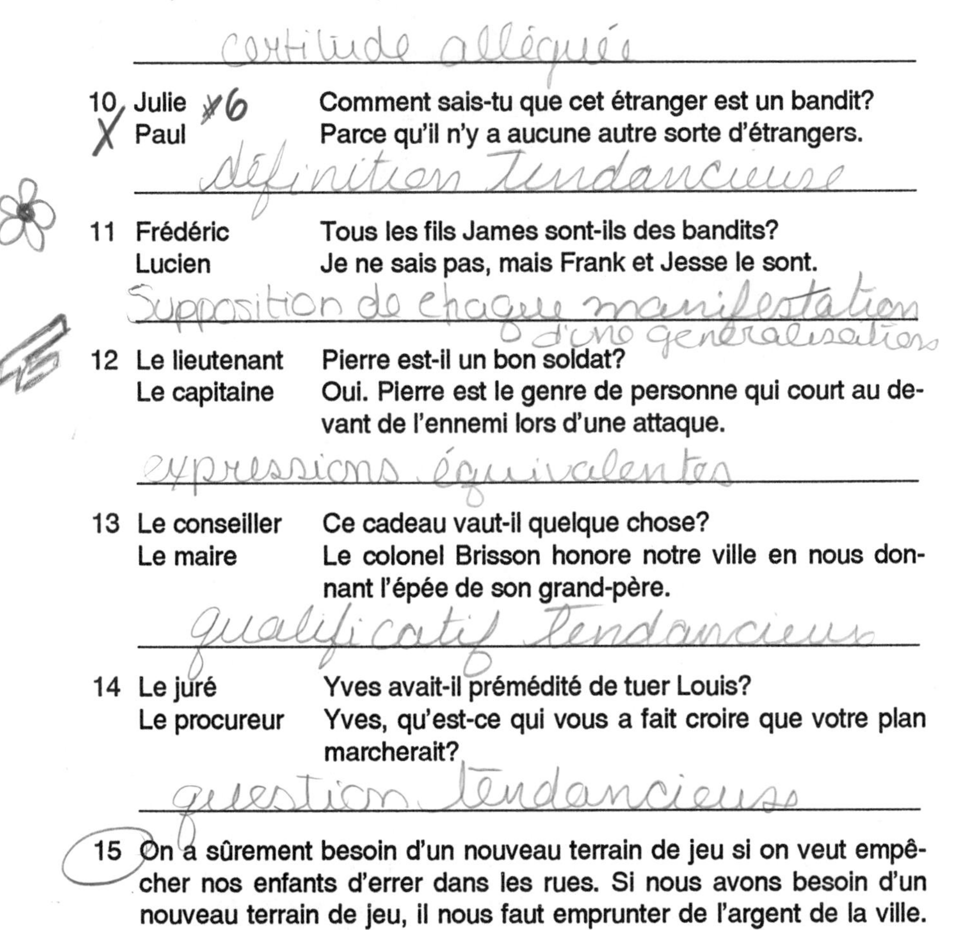

10	Julie	Comment sais-tu que cet étranger est un bandit?
	Paul	Parce qu'il n'y a aucune autre sorte d'étrangers.
11	Frédéric	Tous les fils James sont-ils des bandits?
	Lucien	Je ne sais pas, mais Frank et Jesse le sont.
12	Le lieutenant	Pierre est-il un bon soldat?
	Le capitaine	Oui. Pierre est le genre de personne qui court au devant de l'ennemi lors d'une attaque.
13	Le conseiller	Ce cadeau vaut-il quelque chose?
	Le maire	Le colonel Brisson honore notre ville en nous donnant l'épée de son grand-père.
14	Le juré	Yves avait-il prémédité de tuer Louis?
	Le procureur	Yves, qu'est-ce qui vous a fait croire que votre plan marcherait?

15 On a sûrement besoin d'un nouveau terrain de jeu si on veut empêcher nos enfants d'errer dans les rues. Si nous avons besoin d'un nouveau terrain de jeu, il nous faut emprunter de l'argent de la ville. Parce qu'il nous faut emprunter de l'argent de la ville, il s'ensuit que nous avons besoin d'un nouveau terrain de jeu.

Chapitre trois

La pseudo-autorité

«Si notre civilisation doit survivre, nous devons nous défaire de la vénération des grands hommes. Les grands hommes peuvent faire de grandes erreurs.»

Karl R. Popper

Déjà, lorsqu'on est très jeune, on nous apprend à respecter l'autorité. On nous apprend à obéir à nos parents, à nos gardiens, à nos professeurs, aux autorités civiles, etc. Quand on pense au nombre de ces autorités auxquelles nous sommes confrontés dans notre vie, il est étonnant que nous ne devenions pas tous un peu déboussolés.

Les sophismes dont il sera question dans ce chapitre s'appuient sur notre conditionnement à nous soumettre à l'autorité. Le recours à ces sophismes constitue la majorité des procédés singuliers que la plupart des gens utilisent pour conserver une plus ou moins grande marge de manoeuvre malgré certaines restrictions précises auxquelles ils sont confrontés. Comme chacune de ces erreurs de raisonnement contient quelque appel illégitime à l'autorité, nous les désignerons dans leur ensemble comme des sophismes de pseudo-autorité. En latin, on les nomme *argumentum ad verecundiam*, c'est-à-dire appel à la modestie. En effet chacun de ces sophismes fait appel à la modestie de chacun vis-à-vis une prétendue autorité. On peut aussi les appeler *argumentum ad auctoritatem*, c'est-à-dire un appel à l'autorité. Ils peuvent être commis sans faire d'erreur formelle, ce sont des erreurs informelles.

3.1 Les cordes sensibles

Ce sophisme (*argumentum ad populum: appel au peuple*) se produit quand, en l'absence d'un argument vraisemblable pour défendre un point de vue, on fait appel aux sentiments ou aux attitudes d'un groupe de personnes pour les convaincre. Supposons, par exemple, qu'un procureur est incapable de prouver qu'un accusé est coupable de trahison. En l'absence de preuves concrètes, il commente plutôt les méfaits de la trahison. Il rappelle au jury que quiconque aide ou appuie un ennemi de son propre pays doit être sévèrement puni; que quiconque vend son propre peuple devrait aller derrière les barreaux; que la trahison est un crime contre Dieu et la nation; que les jurés qui acquitteraient une telle personne devraient sûrement affronter le jugement de leur propre conscience. En touchant habilement les *cordes sensibles* du jury, en touchant les sentiments des gens, le procureur réussira peut-être à faire accepter son point de vue. Les annonceurs et les vendeurs utilisent souvent ce sophisme: cela fait partie du métier, pourrait-on dire. Mais, après tout, quelle est la force réelle d'arguments comme ceux qui suivent?

> *Nos machines à coudre sont fabriquées au pays par des ingénieurs et des techniciens de chez nous. Nos machines à coudre sont bien construites.*

> *Je suis fier de vendre des voitures d'occasion dans ce village. Mon frère a bâti son commerce d'épicerie dans ce village et son fils est enseignant ici. Mon fils vend des journaux au même endroit. Nous sommes très attachés à cet endroit. Je serais incapable manquer de respect envers cet endroit en vous vendant une voiture de mauvaise qualité.*

> *La connaissance donne le pouvoir. Qui étudie s'enrichit. Celui qui affronte le monde moderne sans instruction est mal équipé pour faire son chemin dans la vie. Chacun doit de donner à ses enfants la meilleure éducation possible. L'encyclopédie que je vous propose est une véritable occasion.*

Dans le premier cas on mise sur le patriotisme, tandis que dans le deuxième on invoque l'esprit de clocher, et finalement le troisième exemple soulève les nombreux avantages de l'instruction et la responsabilité des parents. Ce sont des appels aux *cordes sensibles*.

Résumé: ______________________________

Exemple personnel: Il faut nous acheter ces macarons car ces profits des ventes vont aux malheureux petits enfants malades du tiers-monde.

3.2 Le bluff

On commet ce sophisme lorsqu'en l'absence d'un argument légitime, on se conduit comme si on détenait un argument dont la vérité de la conclusion est incontestable. Par exemple, quand le politicien annote ainsi un paragraphe de son discours: «Cet argument est faible. Monter le ton!».Vous avez sûrement appris ce truc-là il y a bien longtemps.

Une paire de deux aux mains d'un joueur qui l'utilise avec assurance simulée (bluff) peut être toute une donne dans une partie de poker. Cela dépend de qui bluffe et de qui est supposé être bluffé. De même, quand on ignore la réponse à une question, il suffit parfois d'affirmer celle qu'on improvise avec assurance pour qu'elle soit acceptée. Alors que le bluff est souvent efficace d'une manière ou d'une autre, du point de vue logique celui qui s'en sert commet un sophisme.

Résumé: faire paraître une chose vraie lorsqu'elle ne l'est pas.

Exemple personnel: lors d'une partie de carte. Si je te dis mes raison tu voudras peut-être pas me croire

3.3 La cérémonie

Ce sophisme est grosso modo la forme institutionnelle du sophisme du *bluff.* Il se produit quand une conclusion indéfendable est cautionnée par un rite particulier ou une manière de faire particulière. Par exemple, si le généreux donateur Monsieur Richard donne une forte somme d'argent à l'université en retour d'un diplôme honorifique, les administrateurs de cette université auront peu à dire ou à faire pour justifier cet honneur: la cérémonie en elle-même suffira. Ils peuvent difficilement annoncer que Monsieur Richard a acheté cet honneur, mais presque tout ce qu'ils pourraient dire pour montrer qu'il en est digne serait un mensonge. Alors ils mettent tous leur habit de cérémonie; ils marchent solennellement; la chorale chante et on hisse le drapeau. En somme, les administrateurs commettent le sophisme de la *cérémonie* en laissant la cérémonie elle-même mentir à leur place.

Ou encore, supposez un propriétaire de poste d'essence qui cherche un truc pour augmenter l'achalandage. Il pourrait donner une caisse de cola à l'achat d'un minimum de vingt litres d'essence. Mais les boissons gazeuses sont dispendieuses. Peut-être préférera-t-il décorer toute la station-service de petits drapeaux multicolores et installer d'énormes panneaux réclames, et ne donner qu'une bouteille par achat. Le truc n'est plus alors ce qu'il donne réellement, mais plutôt ce qu'il semble donner. En changeant la façon de présenter cette promotion, il la fait paraître plus attrayante qu'elle ne l'est vraiment. C'est un autre cas du sophisme de la *cérémonie*.

Résumé: conclusion indéfendable cautionné par un rite ou une manière de faire particulière

Exemple personnel: Vu que tu as eu 90% dans ton bulletin, je vais te donner de l'argent

3.4 Le jargon

Quand une affirmation (ou un titre, un produit, etc.) est présentée sous le couvert de termes pseudo-techniques afin de mieux la faire paraître qu'elle ne l'est en vérité, nous sommes en présence du sophisme du *jargon*. Par exemple, on vous offre un emploi en tant qu'adjoint au directeur du service de la santé, salubrité et bien-être. Cela sonne bien, mais en réalité il s'agit d'être le deuxième préposé au camion qui fait la cueillette des ordures ménagères. Ici le sophisme d'appel à l'autorité par le *jargon* a été fait en recourant à un titre impressionnant pour un emploi qui l'est moins.

Un autre exemple fréquent aujourd'hui: les noms impressionnants conférés à certains matériaux synthétiques. Tel produit décrit comme un composé ultra-résistant de plastique formule 231, ne sera en réalité qu'un plastique bon marché. Le «panneau super endurant multi-fibre numéro XZ6», qu'une sorte de carton. Au lieu de donner une description adéquate du produit (peut-être en faisant quelques comparaisons utiles), on utilise des termes pseudo-techniques qui laissent penser autre chose.

Résumé: ______________________________

Exemple personnel: ______________________________

3.5 *Les adages*

Chaque fois qu'on utilise un adage, un proverbe, une maxime ou un cliché plutôt qu'une bonne raison, on commet cette erreur. Il semble que nous ayons des adages ou des proverbes pour toutes les circonstances, sans parler de notre capacité d'en formuler de nouveaux. Par exemple, prenez le cas d'une personne surprise à pêcher en zone interdite. Quand on lui demande pourquoi elle avait choisi cet endroit, elle pourrait répondre: «Quand la nature appelle, il faut se soumettre». Au lieu de donner la vraie raison, on utilise un cliché qui a l'apparence d'une raison.

Un entraîneur de football utilisait la maxime «Ne pensez jamais, réagissez!» pour solutionner plusieurs de ses problèmes. Chaque fois qu'un joueur tentait d'expliquer pourquoi il n'était pas là où il aurait dû être parce qu'il pensait ceci ou cela, la maxime lui était rétorquée. L'argument massue de cet entraîneur était «Ceux qui font des erreurs se trouvent toujours des excuses». Même si quelqu'un avait une excuse légitime, elle était tout de suite rejetée à cause de ce proverbe. L'adage était utilisé à la place d'une bonne raison afin de couvrir l'attitude déraisonnable de l'entraîneur vis-à-vis les raisons des autres.

Résumé: ______________________________

Exemple personnel: ______________________________

3.6 Les vedettes

Quand on soutient la vérité d'une proposition en affirmant que telle ou telle vedette ou personnage connu le pense aussi, on commet ce sophisme. On désigne souvent cette erreur en la nommant l'erreur d'*ipse dixit* c'est-à-dire *lui-même l'a dit, donc c'est vrai.* La force d'une proposition ne repose pas sur le nom de la personne qui la soutient, mais sur les preuves qu'elle a apportées ou qu'elle pourrait apporter. Ainsi, même si une personne connue est considérée comme une autorité admise et fiable, son point de vue s'impose seulement dans la mesure où elle apporte ou peut apporter des preuves; pas plus. Ce que les preuves n'arrivent pas à soutenir, un nom populaire ne peut le soutenir non plus.

En pratique cette erreur se présente habituellement de manière évidente. Pensez au grand nombre de vedettes de cinéma et d'athlètes qui ont endossé n'importe quoi, du jus d'orange aux avions. Dans ce genre de situation, l'annonceur n'affirme jamais que cette «star» est une autorité reconnue dans ce domaine, par exemple en matière de jus de fruits. Ce n'est pas nécessaire. On sait que bien des gens admirent cette vedette et que beaucoup passeront de «cette vedette est bonne» à «ce produit est bon». C'est justement ce saut erroné qui est encouragé. Ainsi, autant l'annonceur (consciemment) que le consommateur (inconsciemment) commettent le sophisme d'en appeler à l'autorité d'une *vedette.*

Ce sophisme ne dépend pas de la nature du produit ou de la personne impliquée. Les arguments qui conduisent de *La vedette X le pense* à soit *Vous avez besoin de ce produit* ou *Donnez généreusement* sont également erronés.

Résumé: Lorsque la force d'une proposition repose sur le fait que telle ou telle vedette ou personnage connu l'ait affirmé

Exemple personnel: Admettons que l'on utiliserait Roch Voisine pour annoncer de la pâte dentifrice

Miquaël Jordan annonce les soulier Nike.

Brigitte Bardot et ses phoques

3.7 Les titres

Ici on prétend démontrer la vérité d'une affirmation en s'appuyant sur les titres des personnes qui la soutiennent, alors qu'aucune personne portant ce titre n'est mentionnée. Regardez les exemples suivants:

Les médecins pensent que le système d'assurance-maladie est une erreur. Donc ce système doit être revu.

Les psychiatres recommandent de gâter les enfants. Donc il faut gâter les enfants.

Les députés disent que cette guerre est juste. Donc cette guerre est juste.

Si c'est un sophisme d'en appeler à l'autorité d'une *vedette*, c'est *a fortiori* un sophisme que d'en appeler au titre sans nommer personne en particulier. Alors que dans le premier cas on nous révèle au moins l'identité exacte de l'autorité, dans ce cas-ci, même cette information est retenue. En plus, on n'attribue à personne la responsabilité de prouver l'assertion, contrairement à ce à quoi on pourrait s'attendre.

Résumé: vérité d'une affirmation qui s'appuie sur des titres de personne sans même les mentionner

Exemple personnel: les professeurs pensent que les étudiants sont mauvais en orthographe.

3.8 La tradition

En appeler à la *tradition* ou à la sagesse immémoriale consiste à affirmer qu'un énoncé est vrai parce qu'il a été soutenu traditionnellement ou parce qu'il était déjà soutenu dans l'antiquité. On suppose apparemment que ce qui est ancien est bon. Mais comme n'importe quel antiquaire peut l'affirmer, bien de vieux objets sont sans valeur.

Ce sophisme peut être illustré par le personnage qui soutient que les gens dont les sourcils se rejoignent sont des loups-garous parce que c'est ce qu'on dit dans son village depuis bien des années. Assurément, dit-il, nos pères et leurs pères avant eux n'auraient pas inventé une telle histoire eux-mêmes ou ne l'auraient pas transmise sans réflexion. Il n'a jamais réalisé que ces proches étaient aussi crédules que lui.

Certains affirment que les anciens ne laissaient pas leurs femmes se mêler de politique et donc les femmes ne devraient pas se mêler de politique aujourd'hui. Si les femmes avaient pu contribuer d'une façon ou d'une autre dans ce domaine, les anciens l'auraient reconnu, pourraient-ils soutenir. Ils affirmeront alors que le rôle traditionnel de la femme leur convient parfaitement puisqu'il repose sur la tradition! Quand l'opinion est présentée de cette façon, on y trouve un sophisme de la *définition tendancieuse.*

Résumé: Verité qui repose sur un mythe, une tradition mais qui est generalement fausse

Exemple personnel: Qu'est-ce tu veux dire par «Servirons-nous une dinde au Jour de l'an»? Cela fait presque vingt ans qu'il en est ainsi

3.9 *L'appel à la majorité*

Si on affirme que telle proposition est vraie parce qu'elle est soutenue par un grand nombre de personnes, on commet ce sophisme. Il n'est pas nécessaire que ces personnes soient populaires ou même qu'elles détiennent des titres importants. La prétention n'est même pas «ils l'ont essayé et c'est vrai». Mais si suffisamment de personnes supportent une opinion, celle-ci a l'air plausible. On dit, par exemple, que cinquante millions de Français ne peuvent se tromper. Et même si la plupart des gens (nous l'espérons) considèrent cet énoncé comme une facétie, il y en a qui le prennent au sérieux.

Si tand d'annonceurs appuient leur publicité sur le fait que de nombreuses personnes ont déjà acheté leurs produits, c'est probablement parce que plusieurs ont été convaincues par ce sophisme. La plupart d'entre nous avons entendu des raisonnements comme ceux-ci:

Nous avons vendu plus d'automobiles que quiconque dans cette ville l'an dernier. Vous devriez acheter votre automobile chez nous.

Selon le sondage X, plus de gens ont écouté cette émission que n'importe quelle autre. Cette émission vaut la peine d'être écoutée.

Plus de gens fument La Boucane que toute autre marque de cigarettes. La Boucane vous plaira.

Si l'on se fiait à ce genre d'argument, il faudrait admettre que la terre a longtemps été plate, immobile et au centre de l'univers puisque la très grande majorité des gens l'a longtemps pensé! Évidemment, le mérite d'une proposition ne repose pas simplement sur le nombre de ses adhérents.

Résumé: proposition vraie car elle est soutenue par un grand nombre de personnes

Exemple personnel: Tout le monde a été voir ce film donc il est bon

3.10 *L'intérêt personnel*

Chaque fois qu'on prétend qu'un énoncé est vrai parce que c'est ou ce pourrait être avantageux pour soi-même, on est en présence de ce sophisme (*ad personam*). Et c'est souvent un avantage monétaire qui est en jeu (*argumentum ad crumenam*). Il semble bien, malheureusement, que l'intérêt personnel soit lié aux intérêts monétaires à tel point que les deux types sont interchangeables, c'est-à-dire qu'en appeler aux *intérêts personnels* de quelqu'un équivaut souvent à en appeler à son argent. Supposons, par exemple, que quelqu'un affirme que cette peinture sur votre mur doit être une oeuvre originale parce qu'un original vaut plus qu'une copie. Ensuite cette personne pourrait prétendre que vous ne devriez acheter que des originaux afin que les gens soient impressionnés par votre bon goût. De plus, elle pourrait préciser que si vous la recommandez pour une promotion, il est plus que probable qu'elle pourrait vous obtenir un bon prix sur certains originaux. De fait comme le prix risque de baisser proportionnellement à la force de votre recommandation, il vous apparaît clairement que cette personne mérite une chaude recommandation. Voilà un cas parfaitement manifeste d'appel à l'*intérêt personnel* de type monétaire.

En réponse à ce genre d'appel vous pourriez préciser que vous devriez conduire une Chrysler neuve plutôt qu'une vielle Ford parce que c'est dans votre propre intérêt de conduire une Chrysler. Et puis vous méritez sûrement une promotion parce que ça aussi, ce serait bien, etc. Alors que l'appel à l'*intérêt personnel* procure une puissante incitation psychologique à croire que certaines affirmations sont vraies, il n'en fournit pas la démonstration.

Résumé:

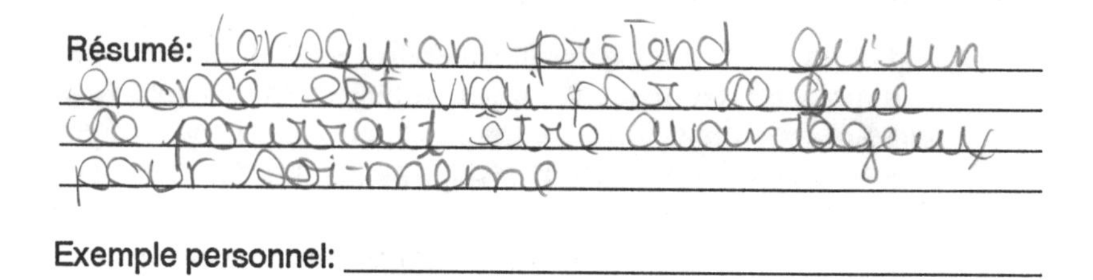

Exemple personnel:

3.11 *L'autorité déplacée*

Si on utilise une autorité compétente et reconnue dans un domaine pour soutenir une proposition dans un autre domaine, on commet ce sophisme. Ainsi quelqu'un peut affirmer que le point de vue de Bertrand Russell sur la religion est précieux parce que ce qu'il a montré au sujet de la logique mathématique est précieux. Ou que ce qu'affirme un Président au sujet des relations étrangères est fiable parce que ce qu'il a dit des affaires intérieures est fiable.

Peut-être pourrions-nous accepter quelqu'affirmation non démontrée de Russell sur un sujet lié à la logique mathématique parce qu'il a démontré dans le passé sa compétence dans ce domaine. Cette affirmation non-démontrée est comme une promesse de paiement très crédible. Il est très probable qu'il aurait pu démontrer cette affirmation. Cependant sa compétence dans le domaine religieux n'a pas été démontrée, pourrait-on dire. Dans ce domaine nous ne savons pas ce que vaut son avis. Donc, en appeler à Bertrand Russell en tant qu'autorité en matière de religion parce qu'il est une autorité en logique mathématique constitue un appel à une *autorité déplacée*.

Patrick Roy l'a dit les Tylenol sont bonnes

Résumé: Utiliser une autorité compétente et reconnue dans un domaine pour soutenir une proposition dans un autre domaine

Exemple personnel: Selon Monsieur le curé, elle n'est pas malade et cela me suffit

3.12 *L'a priori*

Quand on suppose, avant même toute recherche, que certains événements doivent se produire ou ne pas se produire parce qu'il sont nécessaires à une vision du monde qu'on a déjà adoptée par ailleurs, on est alors en présence de ce sophisme. Par exemple, quelqu'un pourrait prétendre que personne ne pourrait le convaincre que les fantômes existent parce qu'il sait très bien qu'ils n'existent pas. Son argument n'est pas que le concept de fantôme est incohérent et logiquement absurde: le terme «fantôme» n'est pas comme le terme «cercle-carré». Il prétend plutôt, avant même toute recherche, qu'il n'y a rien à rechercher. Au lieu de valider ses opinions à partir du monde réel, il façonne ou essaie de façonner le monde réel selon ses opinions.

Un exemple classique de cette erreur se retrouve dans «l'explication» du changement que donnait le philosophe antique Parménide. Il raisonnait ainsi:

(1) Ce qui est, existe.
(2) Ce qui n'est pas, n'existe pas.
(3) Donc le non-être ou le vide n'existent pas.
(4) Ainsi il n'y a aucun espace vide dans lequel les choses peuvent se mouvoir.
(5) Donc il n'y a pas de mouvement.
(6) Donc, comme le changement implique quelque sorte de mouvement, rien ne change jamais.

A priori donc, on sait que les choses ne changent pas. S'il nous semble percevoir du changement, eh bien tant pis pour notre perception!

Le raisonnement de Parménide repose sur l'étape (3) qui semble découler de l'étape (2), mais n'en découle pas. Cette étape (2) peut être paraphrasée ainsi: Ce qui n'existe pas, n'existe pas.

Voilà une vérité banale et tout à fait indépendante de quelque état particulier du monde: ce n'est pas du tout une affirmation empirique ou factuelle. D'un autre côté, l'étape (3) peut être paraphrasée ainsi: Il n'y a pas d'espace vide. ce qui est clairement une affirmation fausse. Si l'on suit nos sens, on pourrait amener Parménide à rejeter son point de vue en affirmant que comme certaines choses changent, il doit exister du mouvement; et s'il y a du mouvement, il doit y avoir de l'espace vide. Selon le philosophe britannique Karl Popper, ce fut là l'approche utilisée par le philosophe grec Démocrite.

Résumé: Porter un jugement sans vérifier

Exemple personnel: ____________________

3.13 *Les grands concepts*

Si un individu présente son point de vue comme étant véridique parce que conforme à celui d'un concept ou d'un groupe plus ou moins mystérieux et généralement respectés il commet une erreur de raisonnement. Par exemple, si une avocate affirme que lorsqu'on attaque son avis, c'est la Loi elle-même que nous attaquons, on ne peut alors attaquer son point de vue sans favoriser l'anarchie. Une enseignante peut affirmer que contester son autorité dans la classe équivaut à contester l'Autorité, et comme quelque autorité est nécessaire pour que la société puisse fonctionner, elle ne doit pas être contestée. Un prêtre soutient que son point de vue est assuré puisque c'est celui de l'Église. Un médecin pourra affirmer que l'attaquer équivaut à attaquer la Profession médicale toute entière.

Même si certains sujets impliquent des principes essentiels et des groupes entiers d'individus, c'est une erreur de supposer que cela est vrai de tous; par exemple on peut très bien critiquer une mère négligente sans pour autant attaquer la maternité. En effet, la mère négligente peut être critiquée à partir ou au nom même des droits et des devoirs de la maternité. Quand on défie les charlatans, en science ou en médecine, on n'attaque ni la science, ni la médecine. Le but même de l'attaque est de renforcer ces professions en éliminant les fanatiques et les charlatans.

Résumé: Présenter son point de vue comme étant véridique parce que conforme à celui d'un concept ou d'un groupe respecté

Exemple personnel: ____________________

3.14 *La confiance*

Quand on insiste pour qu'un point de vue soit accepté sur la base de la seule confiance plutôt que de démontrer ses prétentions par des raisons rigoureuses, on commet un sophisme. Par exemple, supposons qu'un homme se présente chez vous pour vous vendre un aspirateur. N'étant pas convaincu par ses paroles, vous lui demandez une démonstration. Il rétorque qu'il considère votre demande comme une insulte, que vous n'avez pas le droit de douter de son intégrité ou de son produit, que vous devriez faire confiance aux gens. Voilà un appel trompeur à la confiance parce que les preuves en faveur ou contre ses prétentions pourraient aisément être fournies.

De même, un peintre pourrait refuser de donner une estimation écrite du travail à effectuer chez vous avant de commencer. Après tout, soutient-il, vous devez faire confiance à vos employés. Cette confiance n'est pas nécessaire. Il y a des lois qui nous protègent contre les voleurs, il n'est donc pas nécessaire de recourir à la confiance pour accepter ce que garantit la loi.

Peut-être que certaines questions ne peuvent être résolues sans un recours à la foi. Ce qu'on nomme les Grandes Questions, Dieu, la liberté, l'immortalité, appartiennent peut-être à cette catégorie. Mais il y en a plein d'autres qui se résolvent par l'enquête empirique et l'analyse logique. Quand on prétend les résoudre en appelant à faire confiance aveuglément plutôt qu'en les examinant sérieusement, on commet une erreur de raisonnement.

Résumé:

Exemple personnel:

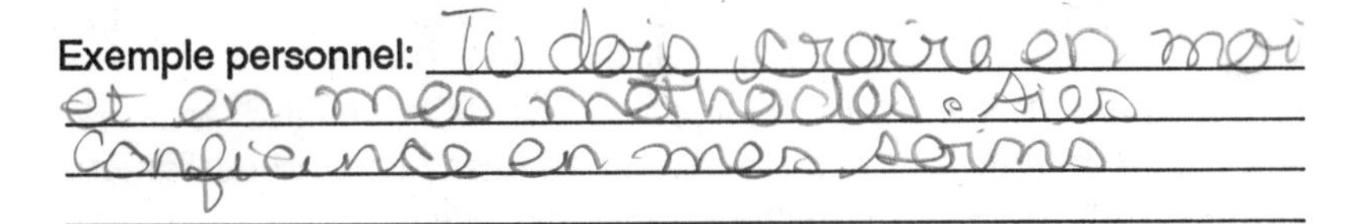

3.15 *La contrefaçon et la mauvaise interprétation*

Chaque fois que l'on a recours à une autorité compétente en modifiant abusivement ses dires ou en les inventant complètement, on commet cette faute. Le sens d'une citation peut être altéré si elle est faite hors contexte, si on modifie certains termes importants ou si on appuie sur une partie qui à l'origine n'était pas essentielle. Par exemple, supposons que le paragraphe suivant est attribué à une autorité fort compétente et respectée en sciences politiques:

> *Tout système politique est comme une expérience.*
> *La démocratie est une expérience.*

Le communisme est une expérience.
A priori nous ne savons pas quelle est la forme de gouvernement la plus appropriée pour une société donnée.
Habituellement nous devrions encourager les expérimentations, mais les coûts possibles de certaines expériences les rendent peu convenables.
Ainsi en est-il du communisme.

Le sophisme de la contrefaçon et de la mauvaise interprétation se retrouve dans chacune des phrases suivantes qui prétendent résumer le paragraphe précédent:

Le communisme est une expérience et nous devons encourager l'expérimentation.

Les coûts possibles de certaines expériences les rendent peu convenables, mais est-ce bien le cas du communisme?

A priori on ne sait pas quelle forme de gouvernement est la plus appropriée pour une société donnée.

Le communisme est seulement une autre expérience qui devrait être encouragée.

Un professeur d'université suggéra un jour que ce pourrait être une bonne idée d'inviter des tenants de l'amour libre, de l'athéisme, du communisme et du fascisme à faire des conférences à l'université. Il croyait qu'il serait plus juste et plus vivant de permettre aux étudiants d'entendre «l'autre côté» directement. Denis Simplet commet le sophisme de la contrefaçon et de la mauvaise interprétation en rapportant que son professeur se faisait l'avocat de l'amour libre, de l'athéisme, du communisme et du fascisme. Si le professeur avait suggéré d'inviter une femme enceinte pour faire une conférence portant sur la grossesse, Denis aurait poursuivi son argumentation. Ce sophisme peut aller jusqu'à fabriquer de toute pièce une pseudo-citation d'une autorité reconnue. Par exemple, si un orateur sait que son auditoire respecte beaucoup Sigmund Freud, il peut inventer n'importe quelle affirmation et la lui attribuer. Il est peu probable que quiconque dans la salle ait mémorisé tout ce que cet auteur a pu écrire ou dire durant sa vie, le risque est donc mince qu'une telle fabrication ne soit contestée.

Résumé: ____

____

____

____

Exemple personnel: ____________________

3.16 *L'autorité imaginaire*

Il s'agit ici d'une autorité inventée de toute pièce pour les besoins de la démonstration. Par exemple, si un enquêteur de police croit fermement que le suspect qu'il questionne est coupable, il pourra essayer de le convaincre qu'il est inutile de nier puisqu'il a déjà réuni des preuves de sa culpabilité. Il pourra indiquer le dossier contenant ces preuves imaginaires ou faire allusion au témoin fictif qui attend dans l'autre pièce. Le suspect pourra à son tour indiquer six personnes imaginaires qui jureront qu'il était à l'opéra au moment du crime. De même, un scientifique peut en appeler aux résultats d'une expérience imaginaire qu'il prétend avoir déjà menée. Un psychiatre pourra citer des patients imaginaires. Un historien inventera un document important pour soutenir sa thèse, etc. Dès que quelqu'un utilise une telle tactique, les possibilités sont pratiquement illimitées.

Résumé: autorité inventée de toute pièce pour ses besoins de la démonstration

Exemple personnel: Avoue que tu as fait le vol, Monsieur Lebrun t'as vu. Pourquoi?!

Exercices

I Identifiez le type de sophisme utilisé dans les énoncés suivants:

1 L'enseignant — Décrivez les causes de la guerre de Trente ans.

L'étudiant — Je suis heureux que vous me le demandiez. Je m'y suis préparé toute la semaine. À vrai dire, c'est presque une injustice pour les autres élèves que nous ayons à comparer nos copies! Mais enfin...

Bluff

2 La grand-mère — Qu'est-ce que tu veux dire par: «Servirons-nous une dinde au Jour de l'An?»? Cela fait près de vingt ans qu'il en est ainsi.

tradition

3 Le politicien — Écoutez-moi Québécois! Je suis un Québécois tout comme vous et je sais ce qu'il en est.

Cordes sensibles

4 L'annonceur — La science moderne a découvert un moyen de maintenir en place les dentiers. On le nomme "Colamor 69".

Jargon

5 Luciano Pavarotti — J'utiliserais plutôt Toyota que Mazda.

personnage populaire

6 Le patron — Pourquoi êtes-vous en retard?
L'employé — Vaut mieux tard que jamais!

adages

7 L'annonceur — Les scouts apportent toujours des sacs Glad supplémentaires.

titres

8 L'annonceur — Tout d'abord on engage quelques musiciens. Puis on loue de l'éclairage et on embauche sept jolies filles pour se tenir à l'entrée du magasin. Si cela n'attire personne, rien ne le pourra.

cérémonie

9 Le politicien — Achetez des produits fabriqués chez nous. Soyez solidaires. Vous êtes québécois, non?

Cordes sensibles

10 Personnel demandé: Garçon ou fille de bonne apparence, entre 10 et 15 ans, pour agir en tant que consultant et représentant de première ligne dans le quartier 9 de Repentigny pour le journal régional.

Jargon

11 Les médecins et les avocats sont en faveur de cette loi.

titre

12 Nous tenons un commerce honnête. C'est pourquoi votre famille fait partie de notre clientèle depuis trois générations. Ce serait très compréhensible que vous fassiez de même.

tradition

13 Est-ce que ça fonctionne bien? Je suis prêt à gager ma chemise qu'aucune balayeuse n'a jamais été aussi efficace.

bluff

14 Le client — Est-ce que ça fonctionne bien?
Le vendeur — Vous savez ce qu'on dit: «Quand ça vient de Chez Alcide, c'est du solide!»

adages

15 L'entraîneur — Si tu veux être un champion, tu dois avoir l'air d'un champion. Tes vêtements doivent être bien coupés. Tes souliers doivent briller au soleil et quand tu fais tes exercices tu dois avoir l'air d'entrer en transe. C'est comme ça qu'on devient un champion.

ceremonie

16 L'orateur — Comme le disait le fondateur de Québec, Samuel de Champlain: «Achetez des obligations d'épargne du Canada!»

contrefaçon et mauvaise interprétation

17 L'inventeur — Si je l'ai vérifié? Et qu'est-ce que j'ai à vérifier? Je l'ai construit moi-même, non?

X a priori ✓ confiance

18 Selon Monsieur le curé, elle n'est pas malade et cela me suffit.

autorité deplacée

19 Presque tout le monde en boit. Quelle meilleure recommandation pourrait-on souhaiter?

majorité

20 Si c'est un traitement efficace? J'avais justement un patient ici l'autre jour, M. Brun ou M. Blanc, je ne sais plus trop, et il a pris deux de ces pilules et ouste! finies les douleurs!

autorité imaginaire

21 Le guérisseur — Je ne peux te soigner à moi seul. Tu dois croire en moi et en mes méthodes. Aie confiance en mes soins. Tu dois croire.

confiance

22 Je ne peux pas dire que nous vendions le meilleur béton au monde, mais je peux affirmer que si un homme était prêt à s'en servir pour paver toutes les rues de sa ville, il serait sûrement bien récompensé.

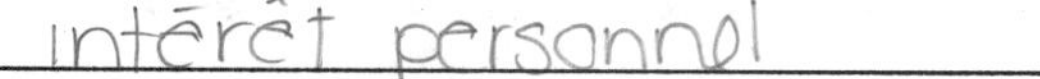

23 Si vous n'allez pas voir ce film, vous avez certainement quelque chose contre toute l'industrie cinématographique.

grands concepts

24 Daniel — J'ai entendu la direction dire que le professeur devait nous donner les réponses de l'examen à l'avance.

contrefaçon et mauvaise interprétation

25 Mon oncle Fred, le coiffeur, dit qu'il n'y a rien là d'accoucher, et que celles qui se lamentent pendant l'accouchement sont geignardes.

autorité déplacée

26 Le tyran — Si vous vous opposez à moi, vous vous opposez au Gouvernement.

grands concepts

27 Le garagiste — Ça prendra pas grand chose pour arranger ça; un peu de temps, quelques dollars et croyez-moi ce sera comme un neuf; pas besoin d'estimation.

28 Il est Grec, n'est-ce pas? Ne m'en dites pas plus, je ne lui fais pas confiance.

29 Le conducteur — Si cette voie-ci est ouverte, comment se fait-il que toutes les autos font la queue dans cette voie-là? Cette voie-ci doit être fermée.

majorité

30 Le sénateur, agitant une feuille vierge — J'ai ici le témoignage assermenté de quatre propriétaires d'entreprise qui ont longuement réfléchi à la question.

autorité imaginaire

II Les exercices qui suivent sont conçus pour réviser tous les sophismes vus dans les chapitres deux et trois. Identifiez le type de sophisme:

1 Je ne comprends pas comment tu peux te dire Québécois et ne pas contribuer au financement de la fête nationale.

cordes sensibles

2 Ce que tu as vu m'importe peu. D'après mes calculs, cela n'a pu se produire.

a priori

3 Jean — Oui, il est marin. Comment sais-tu qu'il est joueur?
Emma — Parce que, d'après moi, un marin qui n'est pas joueur, ça n'existe pas.

définition Tendancieuse

4 Tout ce que je sais c'est qu'il en a toujours été ainsi; pour moi, c'est une raison suffisante.

tradition

5 L'épouse — Pourquoi nous faut-il un nouveau téléviseur?
L'époux — Parce qu'il nous faut regarder davantage d'histoires d'espionnage.
L'épouse — Pourquoi devons-nous regarder davantage d'histoires d'espionnage?

raisonnement circulaire

6 Le citoyen — Tous les Grands Lacs sont-ils pollués?
Le député — Peut-être pas, mais on suppose que les lacs Supérieur, Michigan, Huron et Ontario le sont.

supposition de chaque manifestation d'une generalisation

7 La ville en a-t-elle besoin? Mon gars, ça veut dire dix mille dollars pour toi en personne. Est-ce que ça répond à ta question?

Intérêt personnel

8 Roch Voisine — Les gâteaux Vachon sont les meilleurs.

personnes populaires

9 Le professeur — Tous les cubains sont-ils des fermiers?
L'étudiant — Pour répondre à cette question, commençons simplement par supposer qu'aucun n'est pas fermier.

expressions équivalentes

10 C'est clair comme de l'eau de roche que personne ne peut être allergique aux chiens.

certitude alléguée

11 Si vous voulez acheter une automobile ici, il va falloir me faire confiance. C'est la seule façon certaine de ne pas acheter un citron.

confiance

12 Je vais entrer là la tête haute et en roulant des muscles. Personne ne va m'agresser.

13 L'étudiant — L'université offrira-t-elle un cours de théâtre?
Le doyen — C'est une question non résolue. Tout ce que je sais c'est qu'aucun cours d'art dramatique ne sera offert.

supposition d'une affirmation plus générale

14 Quelle importance d'où ça vient? Dis-leur que L. Brillant l'a affirmé. Ils ne vérifieront pas.

autorité imaginaire

15 C'est le plus grand expert d'égyptologie au pays. S'il affirme que les Danois étaient animistes, il doit le savoir.

autorité déplacée

16 L'annonceur — Enfin sur le marché! Le nouveau fixatif durable, Formule XZX-869.

jargon

17 Le journaliste — Une nouvelle loi sur les pêches est-elle nécessaire?
Le député — Messieurs, j'aimerais présenter un projet de loi qui aurait dû l'être depuis longtemps et qui est attendu avec impatience par la plupart des gens du milieu. Il s'agit d'une nouvelle loi sur les pêcheries.

qualificatifs tendancieux

18 Le capitaine — Comme l'a dit De Gaulle, « Vive l'Acadie libre! »

Contrefaçon et mauvaise interprétation

19 Le juge — Pourquoi avez-vous tué Clarence?
Le meurtrier — Vous savez bien ce qu'on dit: «Il y a un peu de bon dans le pire des hommes et un peu de mauvais dans le meilleur.»

adages

20 Tout le monde en ville en a acheté un l'an dernier. Ça doit être bon.

majorité

21 Le général — Je ne sais trop quoi en dire. Je pense que cela a nécessité plus de stupidité que de courage. Donnons-lui une médaille et laissons les gens tirer leurs propres conclusions.

cérémonie

22 Le procureur — Pierre, combien de temps après avoir empoisonné Sylvie avez-vous téléphoné à la police?

questions Tendancieuses

23 Les juges le recommandent fortement.

titres

24 Le ministre — Vous ne pouvez me défier sans défier le Gouvernement.

grands concepts

25 Le candidat — Personne ne comprend mieux un Québécois qu'un autre Québécois. Et justement mon coeur appartient au Québec tout comme le vôtre.

cordes sensibles

Chapitre quatre

Les arguments non pertinents

«Vous ne devriez pas discuter avec tout le monde, ni vous exercer avec n'importe qui: parce qu'avec certaines personnes l'argumentation se détériore à tout coup...et ne peut mener qu'à un semblant de discussion.»

Aristote

Un des sophismes identifiés par le philosophe Aristote était l'ignorance de l'objet véritable de la question (*ignoratio elenchi: réfutations ignorantes*). Lorsqu'on prouve autre chose que la conclusion énoncée ou lorsque la conclusion qui découle des prémisses n'est pas pertinente à ce qui est discuté, on commet un sophisme dit de «ignoratio elenchi». Nous avons intitulé ce chapitre «les arguments non pertinents» parce que chaque proposition dite d'*ignoratio elenchi* n'est qu'un argument sans pertinence. Aucun des arguments présentés n'est faux quant à sa forme; ce sont des sophismes informels.

Il y a autant de types de sophisme d'*ignoratio elenchi* qu'il y a de raisonnements non pertinents ou d'arguments hors propos. Même si l'on ajoute les 16 sophismes d'appel à la pseudo-autorité exposés au chapitre précédent à notre liste de 21 appels à la non-pertinence, on n'obtient qu'un échantillon partiel.

4.1 *La force*

Le sophisme de l'appel à la *force* (*argumentum ad baculum*) est commis lorsqu'on utilise la force, la violence, la pression, le chantage pour faire accepter un point de vue. Vous êtes sûrement familier avec des exemples qui s'apparentent aux suivants:

Si je suis déclaré hors-jeu, je prends ma balle et je rentre à la maison.

Ou bien j'ai raison ou bien vous n'aurez pas l'automobile ce soir.

Si c'est à votre tour, je m'en vais.

Dans chacun de ces cas, si les prémisses prouvent une chose, c'est qu'une certaine force est employée afin qu'une opinion soit acceptée. Ou, plus simplement: on doit accepter un point de vue sinon... Dans le dernier exemple, en effet, il ne s'agit pas de savoir ce qui se passera si c'est ou ce n'est pas votre tour, mais de déterminer à qui c'est le tour.

L'appel à la *force* est non pertinent (quoique souvent persuasif).

Résumé: Utilisation de la violence, la pression, le chantage pour faire accepter un point de vue

Exemple personnel: Si je perd, je ne joue plus

4.2 La pitié

Le sophisme de l'appel à la *pitié* (*argumentum ad misericordiam*) est commis quand une personne essaie de persuader quelqu'un d'accepter une certaine opinion en invoquant la sympathie ou la compassion. Par exemple, une avocate de la défense pourrait essayer de persuader un jury que son client est innocent en énumérant *ad nauseum* les conséquences malheureuses d'une condamnation. Elle pourrait dire que l'épouse de son client devrait se trouver un emploi et que, étant une femme attirante, elle deviendrait probablement une prostituée; les trois enfants traîneraient dans les rues sans surveillance; le fils deviendrait sans doute un voleur, etc. Compte tenu de tout cela, l'avocate argumenterait que son client doit être reconnu innocent. L'argument provoque peut-être des larmes, mais il n'est pas pertinent.

Ou encore, prenons la situation suivante. Un étudiant qui manquait pratiquement tous les cours et n'étudiait jamais en dehors des cours m'a dit que s'il échouait le cours, il serait probablement obligé de s'enrôler dans l'armée. D'autres étudiants perdraient l'appui de leurs parents, seraient mis à la porte de l'école, devraient renoncer à leur carrière. Même après leur avoir montré qu'ils font un appel à la pitié, ils reviennent à la charge. Mais bien sûr, l'objet de l'argumentation dans de tels cas n'est pas ce qui arrivera si l'étudiant échoue, mais s'il mérite ou non d'échouer. Les appels à la *pitié* peuvent être persuasifs, mais ils sont tout de même non pertinents.

Résumé: quelqu'un essaie de persuader quelqu'un d'autre en invoquant la sympathie ou la compassion

Exemple personnel: Si vous ne me mettez 60% dans cet examen, mon père me battera

4.3 *L'ignorance*

Le sophisme de l'appel à l'*ignorance* (*argumentum ad ignorantiam*) est commis quand on soutient que s'il n'y a pas de preuve évidente de l'existence (ou de la non-existence) d'un objet, ce dernier n'existe pas (ou existe). Par exemple, l'impossibilité de présenter une preuve vérifiable de l'existence (ou non-existence) de Dieu serait la preuve de la non-existence (ou existence) de Dieu lui-même. De même, l'impossibilité pour une personne de penser à un meilleur comportement serait la preuve du bien-fondé de sa façon d'agir. (Pourtant ses comportements peuvent être tous répréhensibles).

Quelqu'un qui fait une affirmation devrait assumer la responsabilité de la preuve. Si le fardeau de la preuve incombe plutôt à la personne qui critique, on se rend coupable du sophisme de l'appel à l'*ignorance.* Supposons, par exemple, que Thérèse proclame qu'il serait immoral d'envoyer un homme sur Mars parce que l'argent ainsi dépensé aurait pu servir aux recherches reliées aux reins artificiels. Bernard proclame que le voyage sur Mars n'est pas immoral. Quand Thérèse demande à Bernard d'expliquer les raisons de son opinion, ce dernier réplique en disant:«Prouve-moi que j'ai tort». Bernard refile ainsi le fardeau de la preuve à Thérèse. Cette dernière avait déjà défendu son opinion, mais Bernard exige d'elle de défendre son opinion à lui par un *argumentum ad ignorantium,* c'est-à-dire que son opinion est supposée vraie du fait que Thérèse ne peut la réfuter.

Quelquefois, l'impossibilité de produire la preuve d'une affirmation devrait devenir la preuve qu'elle est fausse. Par exemple, supposons que quelqu'un dit qu'il y a un éléphant dans votre chambre. Si vous allez dans votre chambre, en faites le tour, et ne trouvez aucune preuve de cette affirmation, vous êtes justifié de conclure du manque de preuve à la fausseté de l'affirmation; en d'autres termes, l'impossibilité de trouver une preuve de l'affirmation peut être considérée comme la preuve de la fausseté de l'affirmation. Une telle conclusion est juste parce qu'on peut facilement prouver qu'un éléphant est dans la chambre de quelqu'un pourvu que l'on regarde et qu'il s'y trouve. Donc l'impossibilité de prouver qu'un éléphant est là prouve qu'il n'y est pas. D'un autre côté, si quelqu'un affirme que votre chambre est pleine d'air, la situation est tout à fait différente. Votre chambre est pleine d'air, mais si vous en faites le tour, comme vous le feriez pour trouver un éléphant, vous ne verrez pas d'air. L'air n'est pas une chose que vous pouvez voir seulement en regardant. Donc, ce serait un sophisme de l'appel à l'*ignorance* d'argumenter que parce que l'air ne peut être vu, il n'existe pas. Si la preuve est ordinairement impossible à observer quand elle existe, alors l'impossibilité de l'observer ne prouve rien.

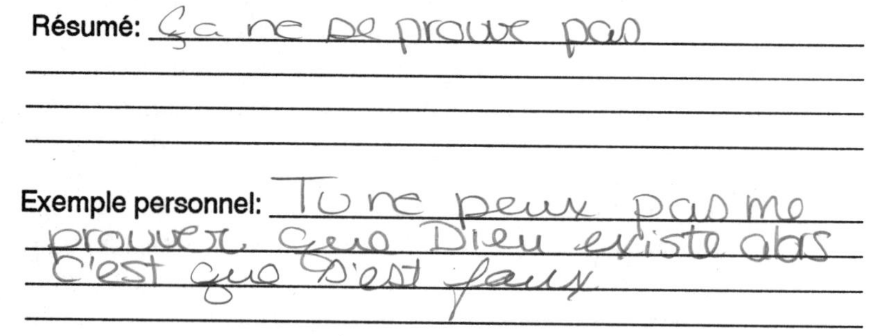

4.4 *L'attaque contre la personne*

Le sophisme de l'*attaque contre la personne* (*argumentum ad hominem*) est commis lorsque le défendeur d'un litige est attaqué à la place de l'objet du litige lui-même. À proprement parler, *hominem* fait référence aux hommes, mais aussi bien les hommes que les femmes peuvent être attaqués. Supposons, par exemple, que le seul témoin oculaire d'un crime se trouve être un ex-détenu. Plutôt que de remettre directement en question la déclaration du témoin, l'avocat cherche à la discréditer en discréditant le témoin lui-même. Il dit au jury que les personnes qui ont fait de la prison ont peu de respect des valeurs telles que la vérité, la justice ou la loi, qu'environ les deux tiers des ex-détenus retournent en prison, qu'il est plus facile de mentir que de commettre n'importe quel autre crime et qu'en conséquence, la probabilité qu'un ex-détenu soit un menteur est très élevée, etc. Bref, l'argument de la défense revient à dire ceci:

Les ex-détenus sont de mauvaises personnes.
Donc tout ce qu'ils peuvent dire est faux.

L'argument est tout aussi faux s'il est question d'un souteneur, d'un maniaque sexuel, etc. Le mal que certaines personnes font ne fausse pas toujours leurs affirmations. Aussi, le sophisme de l'*attaque contre la personne* peut être commis en faisant ressortir que le comportement d'une personne n'est pas cohérent avec ce qu'elle dit.

Il ne met pas en pratique ce qu'il prêche.
Donc ce qu'il prêche est faux.

Vous ne voulez pas que votre soeur marie un sociologue.
Les sociologues ne sont pas aussi bons que les philosophes.

En réplique au premier exemple, on peut noter que même s'il est vrai que chacun devrait plutôt faire le bien que le mal, la plupart des personnes en parlent davantage qu'elles ne le font. En réplique au deuxième exemple, on peut remarquer que même si vous ne voudriez pas que votre soeur épouse votre frère (ni votre père, ni votre mère pour le second), ceci ne suppose pas que votre frère n'est pas aussi bien que votre soeur.

Résumé: défendeur d'un litige est attaqué à la place du litige lui-même

Exemple personnel:

4.5 La mauvaise graine

Le sophisme de la *mauvaise graine* est commis lorsqu'on argumente que les opinions des descendants d'un mauvaise personne sont nécessairement fausses. En bref, cela correspond à ceci:

Il est le fils d'une personne mauvaise.
Donc ce qu'il dit doit être faux.

Parenté

Bien que cette faute soit une sorte d'*attaque contre la personne*, elle contient une erreur qui lui est propre. On suppose ici que le caractère de quelqu'un, sa nature, ou ses mauvaises habitudes ont été transmises à ses descendants. D'où, par exemple, que les fils et les filles des membres passés ou présents du parti nazi sont comme leurs parents. Donc, on soutient qu'il est aussi impossible d'obtenir la vérité de ces derniers que des premiers. Si c'est une erreur de rejeter une conclusion en rejetant la personne qui l'émet, c'en est une assurément si l'on ne rejette que les parents ou la lignée familiale.

Résumé: Opinions de mauvaises personnes sont nécessairement fausses.

Exemple personnel: la fille de Claude est stupide. Donc ce qu'elle dit doit être faux

4.6 *Les mauvaises fréquentations*

Le sophisme d'appel aux *mauvaises fréquentations* est commis lorsqu'on soutient que les opinions d'une personne doivent être fausses parce qu'il ou elle a des fréquentations condamnables, douteuses ou mauvaises. C'est ici aussi une sorte de sophisme d'*attaque contre la personne*. Il pourrait être illustré ainsi:

> *Elle a de mauvaises fréquentations.*
> *Donc ce qu'elle dit doit être faux.*

Les fréquentations peuvent, bien sûr, être de nature héréditaire; elle pourrait être la fille d'une personne mauvaise. Dans ce cas, ce sophisme serait identique à celui d'appel à la *mauvaise graine*. Mais elle pourrait être simplement l'amie de criminels, de marginaux, d'ivrognes, de voyous. On prétend alors que le mal dont les amis ou connaissances de quelqu'un se rendent coupables est contagieux et transforme ses opinions vraies en faussetés. Si c'était vrai, alors les travailleurs sociaux, les prêtres et les bons samaritains seraient non seulement corrompus (ou le seraient tôt ou tard,) mais aussi leurs opinions seraient nécessairement fausses.

Résumé: opinions fausse car fréquentations mauvaises.

Exemple personnel: Elle se tient avec les mauvaises personnes dans tout ce qu'elle dit est faux.

4.7 Les faux motifs

Lorsqu'on prétend qu'une cause est inacceptable parce que les motifs qu'invoque son défenseur ne sont pas justes ou objectifs, on commet le sophisme de l'appel aux *faux motifs*.

Supposons, par exemple, que le propriétaire du seul commerce de bois en ville propose la construction d'une clôture de bois autour du terrain de balles de la ligue mineure. En réplique à sa suggestion, le conseil de ville argumente qu'il ne ferait que se remplir les poches et que, par conséquent, le terrain de balles n'a pas besoin de clôture. Il s'agit donc d'un sophisme d'appel aux *faux motifs* parce que la vérité ou la fausseté de la proposition de quelqu'un ne peut être conclue à partir de ses motifs.

Ou encore, prenons le cas des électeurs d'une petite ville qui ont voté contre la construction d'un centre de loisirs communautaire parce que la proposition venait des autorités du service de loisirs, soit du directeur et du personnel. On a argumenté que parce que ces personnes y trouvaient leur intérêt, le centre de loisirs n'était pas une réel besoin. Ainsi, plutôt que d'analyser les arguments présentés par les autorités du service de loisirs, les électeurs n'ont considéré que les motifs et en sont venus à la conclusion que le nouveau centre de loisirs n'était pas nécessaire.

Résumé: Une cause est inacceptable parce que les motifs qu'invoque son défenseur ne sont pas juste ou objectifs

Exemple personnel: ____________________

4.8 La constance

Lorsqu'on utilise comme argument les changements d'opinion de quelqu'un sur un sujet, on commet le sophisme de l'appel à la *constance*. Lors de notre discussion du sophisme de l'*attaque contre la personne*, nous avons remarqué que les habitudes de quelqu'un, si elles ne correspondaient pas aux principes des autres, pouvaient malicieusement être utilisées contre lui. Quelquefois on fait une allusion, comme dans le sophisme de l'appel à la *constance*. Ici nous avons réservé le nom «*Tu quoque*» pour les cas plus particuliers, mais significatifs, où quelqu'un a un comportement conforme avec celui des autres, mais dont les principes personnels changent de temps en temps. Par exemple, quelqu'un peut argumenter que votre opinion sur l'amitié est fausse parce que huit ans plus tôt, vous souteniez une opinion différente. Une telle argumentation se résume à dire que l'opinion initiale de quelqu'un est vraie et qu'il doit y tenir pour toujours. Il n'existe pas de possibilité d'adopter une nouvelle et meilleure opinion sur un sujet. Les nouvelles opinions sont *ipso facto* inacceptables selon ceux qui font le sophisme de l'appel à la *constance*.

Ainsi, supposons le gouvernement d'un État qui analyse un projet de construction d'une nouvelle autoroute. Ceux qui militent le plus en sa faveur sont précisément ceux qui s'y opposaient trente ans plus tôt. Les opposants actuels à la construction utilisent l'inconstance des opinions de ceux qui y sont favorables comme argument contre cette construction. On réplique ceci:«Vous étiez contre autrefois. Ce que vous proposez est contraire à votre opinion passée. Donc, ce que vous proposez est inacceptable». C'est le sophisme de l'appel à la *constance* ou de «*Tu quoque*».

Résumé:

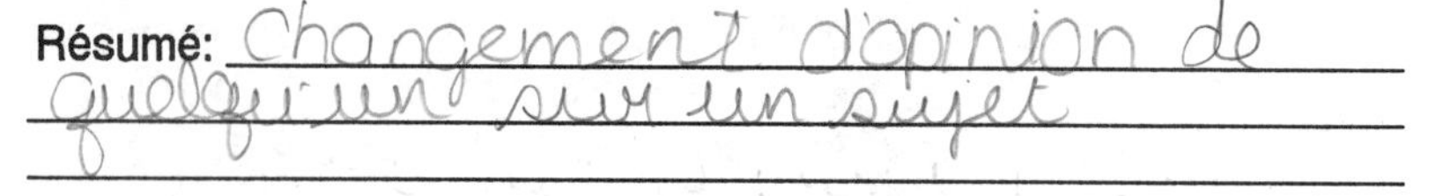

Exemple personnel: Quelqu'un qui avait voté non au référendum de 1980 a voté oui en 1995

4.9 L'amitié

On commet le sophisme de l'appel à l'*amitié* (*argumentum ad amicitiam*) quand on argumente qu'une certaine opinion doit être acceptable parce que c'est celle d'un ami. Par exemple,

> *Je suis ton ami.*
> *Donc ce que je dis est vrai.*

Sans doute plusieurs d'entre nous commettons ce sophisme beaucoup plus souvent que nous voudrions l'admettre. Il est difficile de critiquer un ami, et assez souvent il est difficile de contester les opinions de quelqu'un sans que cette contestation soit interprétée comme une sorte de critique de la personne elle-même. Aussi nous évitons plus ou moins inconsciemment le désagrément de la mésentente en laissant passer sans commentaire les grossières exagérations, les descriptions étranges et les jugements de valeur discutables. Nous admettons par exemple qu'on devrait haïr Charles parce qu'un de nos amis le déteste, même si on ne trouve aucune raison de le détester. Nous complimentons Sophie sur sa nouvelle robe même si nous la trouvons horrible. Après tout, c'est une amie. Pourquoi la contrarier? Peut-être que sa robe est réellement belle. Bon! D'accord, sa robe est belle!

Bref, le simple fait qu'une opinion soit celle d'un ami ne prouve pas qu'elle soit acceptable. D'ailleurs un ami qui insiste pour avoir votre appui au nom de l'amitié n'est pas vraiment un ami. Mais quiconque accepte de soutenir sans cesse des faussetés au nom de l'amitié n'est pas non plus un véritable ami, quoiqu'une telle personne puisse être un grand thérapeute.

Résumé: lorsqu'on argumente une opinion acceptable parce que c'est celle d'un ami

Exemple personnel: Je te connais depuis de nombreuses années donc j'approuve ton opinion

4.10 *La peur*

On commet le sophisme de la *peur* (*argumentum ad metum*) lorsqu'on utilise la peur pour persuader quelqu'un d'accepter une opinion. Bien qu'on puisse dire que celui qui fait appel à la *force* fasse appel à la *peur*, il arrive souvent qu'on appelle à la *peur* sans faire appel à la *force*. Donc, on peut réellement distinguer les deux sophismes. Voyons quelques exemples de sophisme de la *peur*.

Un vendeur d'assurances s'introduit chez vous pour vous informer des avantages d'acheter une police et il mentionne en passant les risques possibles de ne pas le faire. Il décrit l'état misérable de Benoît Monchâteau qui habite de l'autre côté de la ville et dont la maison a été incendiée. Benoît gardait tout son argent dans un lourd coffre de chêne qui, bien sûr, a été complètement détruit. La femme de Benoît avait toujours travaillé pour rencontrer les fins de mois, mais maintenant son fils aîné devait laisser l'école pour aller travailler et rapporter de l'argent à la maison. La nouvelle automobile de Benoît (qui n'était pas non plus assurée) a été détruite quand la maison en feu est tombée dessus. Sans jamais faire appel à la *force*, le vendeur veut, par la *peur*, vous convaincre de votre besoin d'être assuré. Cependant, bien que l'allusion à la richesse de Benoît envolée en fumée puisse être convaincante, elle ne prouve en rien votre besoin en assurances.

De même, les garagistes semblent avoir un penchant pour ce genre d'appel à la *peur*. Si un tuyau semble un peu usé, ils peuvent réciter une liste des méfaits que peuvent provoquer les tuyaux perforés. Ils diront que si un tuyau se brise alors que vous roulez, vous allez perdre tout votre antigel et votre moteur pourrait surchauffer et se détériorer. Les huiles et filtres usés augmentent la consommation d'essence et coûtent, en bout de ligne, plus cher. Sont-ils usés? Eh bien, suffisamment pour devoir être changés. Est-ce que votre voiture a été entretenue dernièrement? Si elle n'est pas entretenue régulièrement, elle brûle plus d'essence que normalement. L'argent durement gagné est ainsi perdu. Dans tous ces arguments, il y en a peu qui mettent en évidence que votre voiture a besoin d'un entretien, mais la plupart servent à vous convaincre à dépenser un peu plus d'argent. C'est une stratégie typique de ceux qui font appel à la *peur*.

Résumé: Utiliser la peur pour persuader quelqu'un

Exemple personnel: Si vous voté non au prochain référendum, vous ne recevrez plus de pension de vieillesse.

4.11 La mauvaise raison

Si quelqu'un attaque un point de vue en argumentant qu'il conduit à des contradictions, mais qu'en fait c'est un autre point de vue qui est en faute, il commet alors le sophisme d'appel à la *mauvaise raison*. En latin, il est connu sous le nom de *non propter hoc*, c'est-à-dire *pas à cause de lui*. Comme on vient de le voir, ce sophisme fait appel à un type d'argumentation dit *de reductio ad absurdum.* Par exemple considérons quelqu'un qui tente de prouver qu'un point de vue est inacceptable parce qu'il conduit à des contradictions. Pour ce faire, il présente une série de prémisses, parmi lesquelles on retrouve le point de vue remis en question, et soulève une contradiction. On commet un sophisme de la *mauvaise raison* si l'on peut déceler une contradiction d'une série de prémisses, en excluant le point de vue remis en question.

Supposons que quelqu'un présente les arguments suivants:

1	Si Léandre communique avec les esprits, alors il mérite ce qu'il réclame.
2	Il ne mérite pas ce qu'il réclame, mais il communique avec les esprits.
3	Léandre a des perceptions extrasensorielles
C	Léandre mérite ce qu'il réclame.

Pour prouver que la prémisse 3 est fausse, un objecteur allègue une contradiction à partir de toutes les prémisses. Mais la contradiction ne provient que des deux premières prémisses, de cette façon:

> Léandre mérite ce qu'il réclame et ne mérite pas ce qu'il réclame.

Donc, l'objecteur a commis un sophisme parce que la prémisse 3 a été rejetée pour la *mauvaise raison.*

Comme autre exemple, supposons qu'on présente l'argument suivant:

1	Certains amoureux ne sont pas combatifs.
2	Tous les soldats sont combatifs.
3	Tous les amoureux sont des soldats.
4	Tous les soldats sont courageux.
C	Tous les amoureux sont combatifs.

Un objecteur affirme que si les quatre prémisses prises ensembles permettent de conclure à la fois à (C) et à sa négation

> *Quelques amoureux ne sont pas guerriers,*

la prémisse 4 doit être rejetée. Cependant, la même contradiction peut être démontrée à partir des trois premières prémisses seulement. Donc, la prémisse 4 a été rejetée pour la *mauvaise raison.*

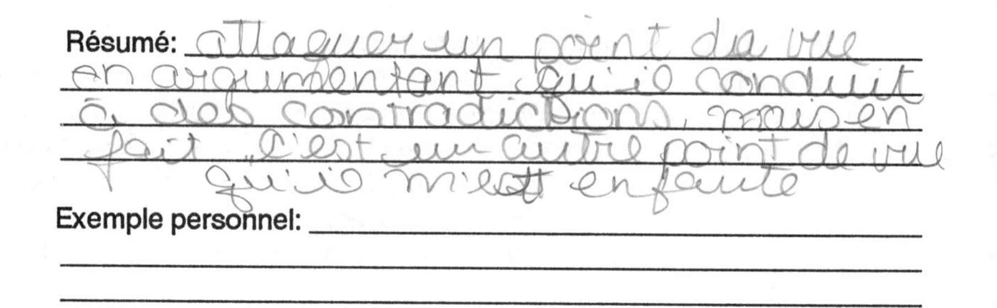

Résumé:

Exemple personnel:

4.12 La pensée idéaliste

Le sophisme de la *pensée idéaliste* est commis quand on affirme qu'une chose existe parce que moralement elle devrait exister, que tout ce qui est moral existe. Par exemple:

Tout le monde devrait pouvoir voter sans être intimidé.
Alors tout le monde est capable de voter sans être intimidé.

Les Québécois devraient être aimés des étrangers.
Alors ils sont aimés des étrangers.

Les pluies de la mousson devraient être assez fortes pour permettre une bonne récolte.
Alors les pluies seront assez fortes.

En fait tous nos problèmes moraux seraient résolus si les choses étaient exactement comme elles devraient être idéalement.

Résumé:

Exemple personnel:

4.13 La moralité des faits

Lorsqu'on suppose que ce qui existe devrait moralement exister, que tout ce qui existe est moralement acceptable, on commet un sophisme de la *moralité des faits*. Par exemple,

> *Chaque pays est dirigé par une poignée d'hommes puissants.*
> *Donc chaque pays devrait être dirigé par une poignée d'hommes puissants.*
>
> *Très peu de commis de petits commerces sont syndiqués.*
> *Donc très peu de commis de petits commerces devraient être syndiqués.*

Si ces arguments étaient acceptables, les suivants le seraient aussi:

> *Les Nazis ont tué 9 millions de personnes.*
> *Donc les Nazis devraient tuer 9 millions de personnes.*
>
> *60% des cambriolages sont commis par des jeunes de moins de 16 ans.*
> *Donc 60% des cambriolages devraient être commis par des jeunes de moins de 16 ans.*

Aucun de ces arguments n'est acceptable.

Résumé: lorsqu'on suppose que ce qui existe devrait moralement exister

Exemple personnel: 20% des étudiants décrochent un Dec Donc 20% des étudiants devraient un des cette année

4.14 *L'exemple comme argument*

Lorsqu'une simple illustration ou un simple exemple sert d'argument pour soutenir un point de vue, on commet le sophisme de l'*exemple comme argument*. Prenons le cas de l'étudiant et du professeur discutant de la théorie des «archétypes» du psychiatre Jung. Selon cette théorie, chaque personne aurait plus ou moins les mêmes modèles de pensée. Pour illustrer cette théorie (de façon plus que simplifiée), l'étudiant suggère que cette idée de modèle commun de pensée est analogue au cas des syllogismes, lesquels se réfèrent aussi à des modèles (*Barbara*, *Celarent*, etc.). Mais le professeur objecte que puisque toutes les argumentations ne sont pas des syllogismes et que certaines personnes ne font jamais de syllogismes, la théorie des «archétypes» doit être considérée fausse. Le professeur a commis le sophisme de l'*exemple comme argument.* Les syllogismes étaient présentés comme des illustrations de l'idée de modèle; mais le professeur a considéré l'illustration comme si c'était la théorie elle-même, c'est-à-dire comme si la théorie de Jung affirmait que tous les gens font des syllogismes.

Imaginons maintenant Herménégilde Lavertu affirmant qu'il est possible de construire un appareil qui permettrait à l'homme de voler. Thomas, qui ne comprend pas exactement ce que Herménégilde a en tête, demande un exemple. Alors Herménégilde construit une paire d'ailes en cire, les attache à ses bras et s'élance du sommet de la montagne la plus proche. Lorsqu'il tombe au sol, il entend Thomas dire: «Vous voyez bien, vous avez tort. Il n'est pas possible de construire un tel appareil.» Thomas a commis le sophisme de l'*exemple comme argument.* Le point de vue de Herménégilde était vrai, mais son exemple n'était pas bon. Le premier ne peut être contredit par la fausseté du second.

Résumé: une simple illustration ou un simple exemple sert d'argument pour soutenir un point de vue

Exemple personnel: ____________________

4.15 *L'homme de paille*

On commet un sophisme de l'*homme de paille* lorsqu'une argumentation faible ou une affirmation peu probable est renversée (souvent avec succès) par des arguments plus forts ou par des affirmations plus plausibles.

Prenons l'exemple des affirmations suivantes qui sont peu crédibles, mais qui représentent des points de vue plus ou moins répandus. La théorie de l'évolution de Darwin conduit à l'affirmation que certains de vos ancêtres personnels sont des singes. Le concept de Dieu correspond à celui d'un vieil homme tel que représenté par certaines statues. La vision chrétienne de la vie éternelle, c'est qu'à votre mort, vous irez dans un autre lieu où vous demeurerez pour l'éternité. Ces points de vue semblent vraisemblables au premier abord, mais elles sont facilement attaquables. Il s'agit de caricatures de points de vue plus profonds. Ce sont des *hommes de paille.* Ils sont, comme leur nom le suggère, de pâles imitations de la «vraie réalité». Donc, les réfuter ne touche pas vraiment le concept ou la théorie en cause.

Le sophisme de l'*homme de paille* est souvent commis lorsqu'on invoque les arguments faibles d'un point de vue plutôt que ses arguments forts pour le rejeter. Par exemple, on pourrait argumenter que la seule raison pour laquelle vous ne devriez pas voler votre voisin est que vos parents vous ont appris à ne pas voler. Pourtant, bien que vos parents vous aient enseigné ce que leurs parents leur ont probablement enseigné et ainsi de suite, ce n'est pas une raison suffisante pour ne pas voler. Cette argumentation est un *homme de paille*. Il y a une foule d'arguments plausibles contre le vol autres que «On nous a enseigné à ne pas voler», comme: le vol est immoral, les voleurs peuvent être punis par des amendes, l'emprisonnement, la mauvaise réputation. Le sophisme de l'*homme de paille* est un argument non pertinent.

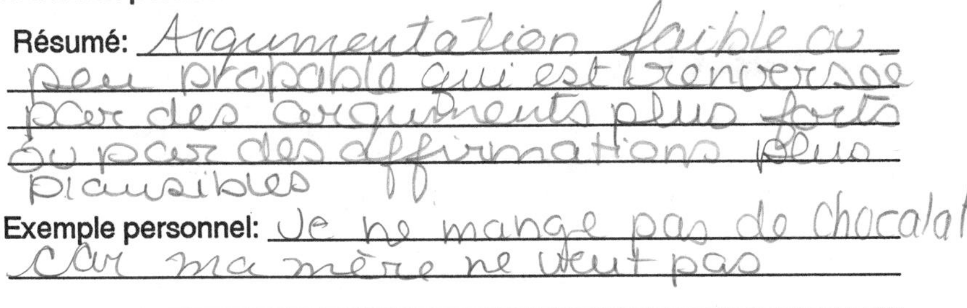

Résumé: ______

Exemple personnel: ______

4.16 La fierté

Le sophisme de l'appel à la *fierté* est commis lorsque la fierté est utilisée pour persuader quelqu'un d'accepter un point de vue. Les gens sont fiers de toute sorte de choses: leur pays, leur ville, leur famille, leur maison, leur auto, leur cheval, leur chien, leur chat ou leur bateau. Nommez n'importe quoi et vous trouverez probablement quelqu'un qui en soit fier. Si ce n'est pas vous, ce sera quelqu'un d'autre. Selon le théologien Reinhold Niebuhr, la vanité est sûrement le plus grand péché de l'homme. En tout cas, c'est sûrement un de ceux pour lesquels on paie très cher. Considérons quelques exemples simples:

Vous êtes fier de votre pays.
Donc vous devez acheter des obligations d'épargne.

Vous êtes fier de votre maison.
Donc elle a besoin d'être repeinte.

et ainsi de suite. Mais ces arguments sont fallacieux. Il est possible d'être fier de son pays sans acheter des obligations d'épargne. Il est aussi possible d'acheter des obligations d'un pays dont on a honte. On peut facilement être fier d'une maison dont on n'a pas besoin de refaire la peinture. En effet, on pourrait être fier de sa maison précisément parce qu'elle n'a pas besoin d'être repeinte.

Résumé:

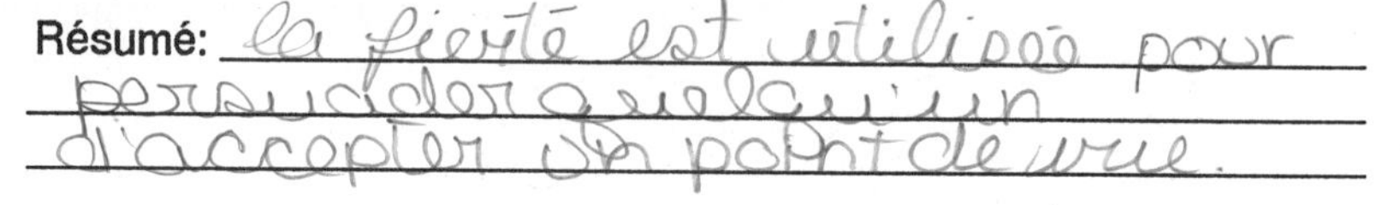

Exemple personnel: Vous êtes fiers de votre pays donc vous devez voter NON au referendum.

4.17 Les bonnes intentions

Le sophisme d'appel aux *bonnes intentions* est commis lorsqu'on argumente que puisque les intentions ou les motifs de quelqu'un sont bons, ses points de vue sont vrais.

> *Mes intentions sont bonnes.*
> *Donc tout ce que je dis est vrai.*

Fréquemment cependant, le fond de la question n'est pas de savoir si c'est vrai ou faux, mais si c'est bon ou mauvais, franc ou loyal, juste ou injuste. Autrement dit:

> *Mes intentions sont bonnes.*
> *Donc tout ce que je dis (fais)est vrai (franc, juste).*

apparaît davantage comme un sophisme des *bonnes intentions.*

Que ce soit une question de vérité ou de fausseté ou de moralité, le sophisme saute aux yeux. Si la bonne volonté était garante de la vérité, on énoncerait bien moins de faussetés dans le monde. Tous les étudiants bien intentionnés réussiraient tous leurs examens. Il n'y aurait aucun charlatan sincère. Les gens de bonne volonté ne diraient que des vérités. De la même manière, si la justice suivait la bonne volonté, il y aurait beaucoup moins d'injustices. Le Ku Klux Klan et le parti nazi sont composés de gens décidés à garder les races pures. Comme le journal *Klansman* l'affirme, «Nous sommes décidés à garder les races telles que Dieu les a créées. N'est-ce pas ainsi que cela devrait être?» En fait, si la vérité ou la justice découleraient nécessairement des bonnes intentions, nous aurions un monde tout à fait différent. Or ne dit-on pas «l'enfer est pavé de bonnes intentions»?

Résumé: intentions est motifs de quelquiun bon donc points de être vrais

Exemple personnel: Voter non à la separation du Québec parce que c'est pour votre bien

4.18 *Les fausses garanties*

On commet le sophisme de l'appel aux *fausses garanties* lorsque la garantie offerte pour soutenir un point de vue est vide de contenu, tautologique, ou sans substance. En fait, les fausses garanties semblent substantielles sur papier, mais sont entièrement vides en pratique. Par exemple, supposons qu'on proclame que les lames de rasoir Dissection vous donnent plus de rasages par lame que n'importe quelle autre marque, sinon on vous remboursera. Voilà une réclame franchement audacieuse. Mais elle est complètement vide si au moment de remettre l'argent, l'honnêteté de l'acheteur est remise en question, ou le vendeur ne veut pas prendre la responsabilité de remettre l'argent, ou le fabricant ne peut plus être rejoint ou même que les frais d'expédition et de manutention des lames défectueuses excèdent leur coût d'achat.

Ou encore, les produits qui sont supposés durer cinq ans suite à un usage normal sont faussement garantis si en pratique il est impossible d'en faire un usage normal. La cire qui demeure belle dans des conditions normales est faussement garantie si en pratique on ne peut jamais obtenir les conditions que le vendeur considère normales. L'essence qui est supposée garder votre carburateur propre est faussement garantie si l'on vous dit toujours que la saleté provient d'un usage antérieur. Enfin si les coûts en temps, en énergie et en argent pour obtenir le respect de la garantie par le producteur valent plus que le coût du produit, la garantie est sans substance.

Résumé: garantie offerte pour soutenir un point de vue est vide de contenu

Exemple personnel: si vous trouvé un savon meilleur que le nôtre nous vous rembourserons

4.19 *Le faux-fuyant*

Le sophisme du *faux-fuyant* est commis lorsque l'on remplace les véritables raisons d'une action par des justifications plus ou moins acceptables. La justification invoquée peut être une cause physique observable ou un motif tout à fait respectable. Par exemple, supposons que vous avez un rendez-vous avec quelqu'un que vous trouvez désagréable. Vous décidez que le seul moyen de ne pas passer une soirée totalement désastreuse est d'essayer de l'éviter le plus possible. Vous arrivez donc en retard et lorsqu'on vous demandera pourquoi, vous invoquez un prétexte comme: vous avez eu deux crevaisons; vous avez renversé une tasse de café sur vos vêtements avant de partir; vous pensiez que vous aviez plus de temps; et ainsi de suite. Toutes ces raisons sont des *faux-fuyants.*

Les gens justifient souvent leurs échecs en se déculpabilisant: Pierre a fini dernier dans la course parce qu'il a glissé sur les blocs de départ. Jean a terminé cinquième parce qu'il était inquiet à propos de son examen d'histoire. Jacques n'a battu que Jean et Pierre parce qu'il ne pouvait supporter de blesser, froisser d'autres personnes. Florent termina troisième parce que gagner, pour lui, n'est pas important. Guillaume est arrivé en deuxième parce qu'il est un étudiant de deuxième année. Les Tortues ont gagné parce qu'elles n'avaient pas de compétition, etc.

Résumé: Lorsqu'on remplace les véritables raisons d'une action par des justifications plus ou moins acceptables.

Exemple personnel: Je n'ai pas eu le tir le plus puissant car j'ai mal aux côtes

4.20 *Le gérant d'estrade*

Au hockey professionnel, c'est à l'entraîneur qu'il revient de planifier la stratégie offensive. Quelquefois, après une mauvaise partie, il peut sembler que d'autres jeux auraient pu être tentés. Ceux qui ont l'ha-

bitude d'expliquer ce qui aurait dû être fait sont appelés des *gérants d'estrade.* Puisque personne ne peut savoir ce qui serait arrivé si ce qui s'est produit ne s'était pas produit, personne ne peut savoir ce qui aurait dû se produire. Nous pouvons avoir de bonnes raisons de croire que tel ou tel jeu aurait été bon, mais il n'y a aucun moyen de le prouver. Ceux qui affirment qu'ils savent exactement ce qui serait arrivé si quelque chose d'autre s'était produit commettent le sophisme du *gérant d'estrade.*

Supposons, par exemple, qu'un historien proclame que la Réforme protestante n'aurait pas eu lieu sans Martin Luther. Un autre historien proclame que la Réforme aurait eu lieu avec ou sans Luther. Les deux commettent le sophisme du *gérant d'estrade*, parce qu'il n'y a aucun moyen de prouver les deux points de vue. Ceci ne veut pas dire que nous ne pouvons ou nous ne devons pas essayer de rassembler des preuves à l'appui de ces deux points de vue. C'est plutôt que la plupart des preuves seraient non concluantes ou hautement problématiques parce qu'elles ressembleraient à ceci: «Si M ne s'était pas produit, alors l'individu A aurait fait P plutôt que Q.» «Si Q s'était produit plutôt que P, alors R serait arrivé à l'individu B plutôt que S» etc. Ce sophisme consiste à affirmer avoir la connaissance exacte et certaine d'une situation hypothétique alors qu'une telle connaissance est impossible.

51

Résumé: habitude d'expliquer ce qui aurait dû être fait.

Exemple personnel: Si Tremblay avait mit Roy dans les buts on aurait gagné le match

4.21 *La simple diversion*

Le sophisme de la *simple diversion* (ou du procédé servant à détourner l'attention) est commis lorsqu'on tente de sécuriser quelqu'un en détournant son attention des aspects indésirables d'une situation. Un agent immobilier peut commettre le sophisme de la simple diversion en évitant de mentionner que l'acompte exigé est élevé. Plutôt que de parler des fuites d'eau au sous-sol, il attire votre attention sur la beauté du paysage. À vos questions sur les fissures dans le plâtre, il peut répondre par des remarques sur la beauté et de la finesse des boiseries.

Le sophisme est souvent utilisé auprès les enfants. Plutôt que de leur expliquer pourquoi ils n'ont pas ceci ou cela, on essaie de détourner leur attention. S'ils demandent une nouvelle bicyclette, on leur parle de l'école ou du prochain pique-nique. S'ils veulent savoir s'ils pourront faire un *pyjama-party*, on essaie de les convaincre d'aller pique-niquer. Bien que ce soit une tactique qui fonctionne bien avec les enfants, le sophisme de la *simple diversion* n'est pas très persuasif auprès de beaucoup d'adultes.

Résumé: lorsque l'on tente de sécuriser quelqu'un en détournant son attention des aspects indésirables d'une situation

Exemple personnel: ______________________________

Exercices

I Nommer le type de sophisme utilisé dans les énoncés suivants :

1 Ce qu'il dit ne peut être vrai. Après tout, il fait le fanfaron dans le quartier voisin. attaque contre la personne

mauvaise fréquentation

2 Ce qu'il dit ne peut être vrai parce qu'il disait justement le contraire il y a 3 semaines.

la constance

3 Comment puis-je être certain que j'ai raison? Parce que personne n'a encore prouvé le contraire.

ignorance

4 L'avocat Il doit mentir. C'est un éternel tricheur, non?

attaque contre la personne

5 Peut-être voulez-vous que je vous frappe pour vous convaincre que vous avez besoin de protection?

force

6 Le chauffard — M. l'agent, si je n'arrive pas à temps au travail, je perd mon emploi. Vous ne pouvez pas m'arrêter maintenant.

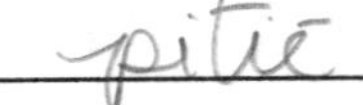

7 Il est un Malenfant et si ça ne fait pas de lui un menteur, qu'est-ce qui le fera?

mauvaise graine

8 Les Anglais appuient les politiques des Américains au Moyen-Orient parce qu'ils le doivent. Alors, si un Anglais dit qu'aucune politique américaine n'est bonne, ne le croyez pas.

faux motifs

9 Chaque fois que je t'en parle, tu changes ton opinion sur la question. Tu dois te sentir coupable.

constance

10 S'il y avait une bonne fée, on en aurait maintenant la preuve, mais personne n'a encore tenté de le prouver, donc ça prouve qu'elle n'existe pas.

ignorance

11 Il ne peut pas avoir passé ses huit dernières années en politique et être encore un homme honnête.

mauvaise fréquentation

12 Si l'armée est si fantastique, pourquoi n'en faites-vous pas partie?

attaque à la personne

13 La défense — Pouvez-vous croire que cette pauvre petite fille ignorante, frêle, solitaire, sale, égarée, apeurée, ait pu planifier un meurtre?

pitié

14 La Gestapo — Je ne peux pas vous forcer à vous rappeler ces événements. Mais je me demande si vous savez comment se sent un animal lorsqu'il est marqué au fer rouge.

force

15 Pourquoi devrait-on croire un vendeur d'annonces? Ils gagnent leur vie à vendre des annonces, que les gens en aient besoin ou non.

faux motifs

16 Si tu étais réellement mon ami, tu ne douterais pas de ce que je dis.

amitié

17 Le meilleur argument contre la nécessité d'avoir une opinion sur la démocratie est le simple fait que nous n'en avons pas.

moralité des faits

je vais tout crisser là!

18 L'orateur — La roue continue de tourner sous l'impulsion de l'eau tout comme une roue peut être maintenue en mouvement par un écureuil qui court à l'intérieur.

L'auditeur — Et combien d'électricité sommes-nous supposé obtenir d'un seul écureuil?

exemple comme argument

19 Bien, si vous croyez ne jamais avoir de crevaison, prendre le fossé et peut-être vous tuer, vous n'avez pas besoin de pneus neufs.

20 Le maire — Premièrement, chacun sait que nous avons besoin d'un nouveau camion de pompier. Deuxièmement, nous avons besoin d'une ambulance. Et finalement, au moins une personne pense que nous n'avons pas besoin d'un nouveau camion de pompier.

mauvaise raison

21 Il ne mourra pas parce qu'il est un homme bon et les hommes bons vivent beaucoup plus vieux que l'âge auquel il est rendu.

pensée idéaliste

22 Le professeur — Supposons, par exemple, qu'il n'y aurait que deux personnes sur la terre. Selon Hobbes, ils essaieraient naturellement de se nuire l'un l'autre.

L'étudiant — La théorie est idiote parce qu'il ne peut pas n'y avoir que deux personnes sur terre.

exemple comme argument

23 Tu peux vendre ta maison à n'importe qui, mais ne crois pas que les membres du club vont t'appuyer et ne pense pas que tu ne perdras pas des clients.

peur

24 Bien sûr, c'est ta maison. Mais je suis ton ami et je dis que tu ne peux pas la vendre à ces gens.

amitié

25 Je sais qu'il doit être ici à 8 heures, et en ce qui me concerne, ça signifie qu'il le sera.

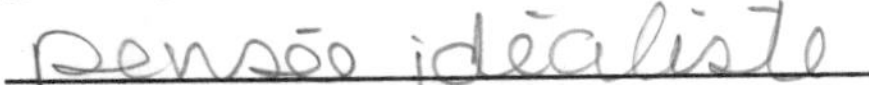

26 Il est en prison n'est-ce pas? Alors c'est exactement ce qu'il mérite.

moralité des faits

27 L'électeur — Quelle est votre opinion sur le projet de loi sur la circulation des camions lourds?
Le candidat — Nous devons supporter nos écoles.

simple diversion

28 Le vendeur — Elle devait durer trois ans dans des conditions normales, mais qui me dit que vous ne l'avez pas utilisée de façon exagérée?

fausses garanties

29 On ne peut le blâmer. Il ne voulait qu'aider.

bonnes intentions

30 En autant que je puisse voir, le principal argument en faveur de la démocratie est que Jefferson pensait que c'était une bonne idée.

homme de paille

31 S'il n'avait pas parlé, nous ne serions pas ici en train de changer ce pneu.

gérant d'estrade

32 C'est votre école. Si ceci ne peut pas vous motiver, je me demande ce qui le pourra.

fierté

33 Je voulais étudier hier soir. Mais quand Fred a appelé, j'ai pensé que ma vie sociale avait aussi son importance et je suis sorti.

faux-fuyant

34 L'épouse — As-tu sorti les poubelles?
Le mari — Je n'ai vu que Charles partir dans une Ford rouge.

simple diversion

35 Le vendeur — Si cet appareil ne vous donne pas une meilleure performance que celui que vous avez, je mange mon chapeau.

fausse garantie

36 C'est certain que le christianisme est convaincant, si vous considérez qu'une personne peut marcher sur l'eau.

37 C'est ce qu'il te faut, mon ami. Si tu veux un jardin que les voisins vont admirer, tu es mieux de me croire.

fierté

38 En tout premier lieu, il aurait dû dire à sa belle-mère d'aller au diable. Ça aurait tout réglé.

gérant d'estrade

39 Mais je ne peux pas brosser mes dents après chaque repas. Je ne sais pas où je pourrais mettre ma brosse à dents. De toute façon, ça ne fait pas de différence.

faux-fuyant

40 François — Et alors, comment s'est passée cette prise de vue?
Jean — J'avais deux examens lundi dernier.

simple diversion

41 Il croit vraiment en ce qu'il fait. Donc son geste ne peut pas être mauvais.

bonnes intentions

Chapitre cinq

La confusion

«Nos croyances rationnellement justifiées doivent faire l'objet d'un choix éclairé, et nous ne devrions jamais prêter foi à aucune croyance irrationnelle, ne serait-ce que pour un bref moment.»

Bertrand Russell

Nous appellerons «confusion» l'erreur qui consiste à présenter un argument ou un point de vue d'une manière si confuse que personne ne peut ni le comprendre ni en préciser le but exact. Un problème se pose quant à savoir si toutes les fautes de raisonnement imputables à la confusion doivent être traitées ici. C'est en grande partie le contexte du raisonnement erroné qui nous décidera de la pertinence de l'inclure dans ce chapitre.

Nous présenterons quatorze manières différentes de commettre ce genre de sophisme, qui constitue une erreur informelle.

5.1 *L'équivoque*

L'*équivoque* est une faute commise lorsqu'un terme-clé dans l'argumentation est utilisé sans que ses diverses et distinctes significations ne soient éclaircies. Supposons par exemple qu'un philosophe déclare que tout ce qui existe dans l'Univers détient une expérience quelconque en précisant que l'expérience n'est rien d'autre que l'interaction, et que toutes choses dans l'Univers interagissent entre elles. On peut alors conclure que les tables et les chaises interagissent parce qu'elles occupent généralement un espace relatif les unes aux autres. Par aulleirs, les personnes peuvent aussi interagir en échangeant des idées. C'est généralement en se référant à l'implication de la conscience des personnes que l'on comprend l'interaction comme un synonyme d'expérience. Dans les deux cas, la signification du terme *interaction* devrait être différente et le fait de ne pas faire cette distinction constitue une *équivoque* fallacieuse.

L'ambiguïté des termes «aliénation», «aliéné», «liberté » et «libre» est bien connue. Si quelqu'un vous dit que Simon Boucher est libre, qu'est-ce qu'il a voulu vous dire précisément? Est-il politiquement, religieusement, économiquement, idéologiquement, ou socialement libre? Est-il libre penseur ou disponible pour une relation amoureuse? Est-il un partisan de la liberté de pensée ou ne fait-il simplement que penser à l'amour libre? Nous aurions affaire à une *équivoque* fallacieuse si, à partir d'une prémisse reposant sur l'une des significations de liberté, nous conclurions que Simon Boucher est libre selon une autre et différente signification de ce terme. Il en serait de même s'il nous arrivait de conclure à l'aliénation dépendance économique de Simon Boucher à l'aide d'une prémisse stipulant son aliénation religieuse.

Résumé: ______________________________

Exemple personnel: ______________________________

5.2 Le double sens

Le sophisme du *double sens* (*fallacia amphibolia*) repose sur la structure ou la signification particulièrement ambiguë d'un énoncé. Supposons que vous venez de manger une délicieuse salade dans un restaurant. Vous demandez au serveur le secret de la sauce à salade et il vous répond: «C'est le chef avec de la gelée pour les cheveux.» Par sa réponse, le serveur veut vous indiquer que la sauce à salade a été préparée par le chef qui coiffe ses cheveux à l'aide de gelée. Cependant, sa réponse aurait éventuellement pu identifier l'ingrédient de la sauce, et non pas la personne qui l'avait préparée. Vous commettez le sophisme du *double sens* si vous concluez que le serveur vous a révélé que le secret de la sauce à salade réside dans l'emploi de gelée pour coiffer les cheveux.

Comme autre exemple, voyons comment est rédigée cette annonce pour la vente d'une automobile:

> *À vendre: Ford 1977, avec transmission automatique, radio, freins et direction assistés, essuie-glaces en bon état.*

L'inspection de l'automobile révèle que les essuie-glaces sont les seuls accessoires en bon état. Lorsque vous accusez la vendeuse de fausse représentation, elle vous réplique: «Vous avez mal lu l'annonce. Relisez-la.» L'annonce était rédigée d'une manière amphibologique, et la vendeuse a commis le sophisme du *double sens*. Dans un parc d'amusement, le préposé au jeu de la roulette offre à des clients naïfs: «Dix essais pour un dollar.» Croyant qu'il s'agit d'une offre à rabais, les clients lui paient un dollar. Après un au premier essai, ils tentent d'en faire un second, mais le préposé intervient en disant qu'ils l'ont mal compris: «Dix essais pour un dollar voulait dire dix essais à un dollar chacun.» C'est un autre exemple du sophisme du *double sens*.

Résumé: structure ou signification particulièrement ambiguë d'un énoncé.

Exemple personnel:

5.3 *L'emphase*

Il peut arriver que la compréhension d'un énoncé varie selon qu'on mette l'*emphase* sur l'une ou l'autre de ses facettes. Si la signification d'un terme ou d'un énoncé est déformée par une interprétation qui repose sur une emphase injustifiée, nous avons alors affaire au sophisme de l'*emphase*. Par exemple, à partir du principe suivant: «Les hommes doivent *bien traiter les étrangers*», quelqu'un pourrait prétendre que les femmes doivent se laisser séduire par les étrangers et que les hommes et les femmes peuvent maltraiter leurs amis. Voyons encore l'exemple suivant: d'un joueur de football qui vient de signer un contrat pour une équipe adverse, un entraîneur dit: «Oh! C'est quand même un bon *joueur de football*!». Il faut comprendre qu'en mettant l'emphase sur «joueur de football», l'entraîneur veut signifier qu'il n'est seulement bon qu'à cela, ou encore que tout bien considéré, qu'il ne vaut pas la peine qu'on tente de l'embaucher.

Résumé: la compréhension d'un énoncé varie selon que l'on mette l'emphase sur l'une ou l'autre de ses facettes

Exemple personnel: ______________________________

5.4 *L'humour*

Si l'on se sert de l'humour pour rendre son interlocuteur confus ou pour le distraire lors d'un débat, on commet alors le sophisme de l'*humour.* Comme il s'agit le plus souvent d'une tactique volontaire, nous avons affaire à un piège plus qu'à un sophisme proprement dit. Supposons, par exemple, qu'une étudiante essaie de démontrer qu'il faut faire le bien plutôt que le mal. Le début de sa démonstration repose sur l'affirmation de l'existence de Dieu. Pour son ami François, une telle affirmation non prouvée constitue une faiblesse logique évidente qu'il vaut mieux éviter. Mais l'étudiante lui réplique: «Seul un démon peut dire cela, et ce démon ira en enfer sans passer par «GO», ni encaisser deux cent dollars.» On peut parier que la remarque de François sera perdue dans les rires.

Raconter des histoires drôles est souvent la porte de sortie des professeurs qui tentent de camoufler leurs lacunes. On substitue aux critiques pertinentes et constructives des remarques humoristiques. Par exemple, plutôt que d'indiquer précisément les erreurs d'un étudiant dans un examen d'histoire, un professeur pourrait écrire sur sa copie: «C'est plus hystérique qu'historique ». Ou :«Je constate avec bonheur que tu as réussi à écrire ton nom correctement. Ne crois-tu pas qu'il serait temps de passer à autre chose?». Pour faire la part des choses, on doit admettre qu'il serait quelquefois trop laborieux ou inutile de relever et d'expliquer dans le détail toutes les erreurs sur les copies des étudiants. Sauf que le recours à l'humour n'est souvent qu'un procédé visant à camoufler l'incompétence (les critères d'évaluation déficients). De tels cas relèvent du sophisme de la confusion par le moyen de l'*humour.*

Résumé: ______________________________

Exemple personnel: on se sert de l'humour pour rendre son interlocuteur confus ou pour le distraire lors d'un débat.

5.5 Les prémisses contradictoires

Lorsque des prémisses d'un raisonnement sont contradictoires, il s'agit du sophisme des *prémisses contradictoires.* Puisque parmi deux prémisses contradictoires l'une doit être fausse, le raisonnement lui-même dans son ensemble est affecté par la fausseté de l'une de ses prémisses. En conséquence, il n'est pas valide. De plus, sur la base de telles prémisses contradictoires, on peut produire des énoncés allant dans l'un ou l'autre des sens proposés dans ces prémisses. Prenons l'exemple de quelqu'un qui essaie de prouver que les Canadiens sont plus honnêtes que les Australiens. Il commence par affirmer que ceux qui vivent au nord de l'Équateur sont honnêtes. Après quelques détours, il admet que certains Allemands ne sont pas honnêtes. Mais il maintient résolument sa conclusion qui stipule que les Canadiens sont plus honnêtes que les Australiens. Toutefois, sa victoire est décevante parce qu'elle recèle un piège puisque la négation de sa conclusion s'impose avec la même force. Donc son raisonnement n'est pas valide. En effet, c'est un exemple de sophisme des *prémisses contradictoires.*

Il est rare que la contradiction de deux prémisses soit évidente dans un raisonnement. Par contre, il arrive souvent que des gens agissent au nom de principes contradictoires sans que ces contradictions ne soient décelées ou explicites. Si l'on base son comportement sur des principes contradictoires, on s'accorde donc à soi-même la permission de faire ce qu'on veut. Supposons qu'un directeur d'école congédie un professeur parce qu'il milite activement au sein un parti politique et qu'il en licencie un autre pour la raison inverse. Il explique au premier professeur que son congédiement repose sur le principe qu'un militant politique ne devrait pas enseigner. Au deuxième professeur, il présente le principe inverse. Tant que les deux professeurs ou le Conseil d'administration de l'école n'examineront pas les principes sur lesquels reposent les décisions et les gestes du directeur, celui-ci aura toute la latitude voulue pour faire ce qu'il veut. Il a donc commis le sophisme des *prémisses contradictoires.*

Résumé: lorsque des prémisses d'un raisonnement sont contradictoires

Exemple personnel: Je l'ai emprisoné parce qu'il a avoué et ensuite

5.6 La colère

Si notre confusion prend son origine dans la colère, ou que l'on tente d'induire l'interlocuteur en erreur en le mettant en colère, ou en montrant soi-même des signes de colère, il s'agit alors du sophisme d'appel à la *colère.*

La plupart des gens évitent de se fâcher, parce qu'il s'agit d'un accroc aux bonnes manières, parce qu'il s'agit d'une manifestation anti-sociale, ou par lâcheté, etc. De plus, la plupart des gens deviennent confus lorsqu'ils sont mis en contact avec les émotions fortes de la colère. On peut en conclure que d'une façon ou d'une autre, la colère est génératrice de confusion. Supposons, par exemple, qu'une interlocutrice trouve inacceptable la conclusion d'un raisonnement que vous lui soumettez. Éventuellement, elle pourrait vous faire remarquer son désaccord en vous insultant, par exemple en vous traitant de «parfait crétin». Si vous ne vous attendiez pas à cette sorte de réaction, vous pourriez être complètement désarçonné. Il se pourrait que vous perdiez le fil de votre raisonnement et que vous l'insultiez à votre tour. Il est possible, dans certaines situations comme un débat public, que votre interlocutrice ait alors disposé d'un temps suffisant pour trouver une argumentation appropriée et légitime. Ou peut-être la confusion créée lui permettra-t-elle de passer subrepticement à un autre sujet sans que ses faiblesses ne ressortent trop. Mais à condition de reprendre vos esprits rapidement, vous pourriez éventuellement tirer avantage de cette situation en l'accusant de commettre le sophisme de la confusion causée par la *colère.*

Dans une telle situation, la colère peut n'être que simulée. Il peut s'agir d'un interlocuteur qui feint la colère afin de laisser croire que vous l'avez attaqué, comme si vous aviez commis envers lui une *attaque contre la personne.* Cela peut lui faire gagner du temps ou vous forcer à retirer votre argument. Si l'interlocuteur peut tirer avantage de telles pratiques, il reste qu'il peut tout de même être accusé d'avoir commis le sophisme de la confusion causée par la *colère.*

Résumé: Si notre confusion prend son origine dans la colère, ou que l'on tente d'induire l'interlocuteur en erreur en le mettant en colère.

Exemple personnel: ____

____

____

____

5.7 *L'incompréhension*

Pour échapper à la conclusion d'un argument convaincant, ou pour rejeter a priori un point de vue cohérent et légitime, on peut invoquer une incompréhension. Il semble que ce soit une échappatoire privilégiée des philosophes lorsqu'ils font face à des points de vue qui leur sont opposés. Les tenants du positivisme scientifique et les empiristes sont souvent parmi ceux qui trouvent complètement incompréhensibles les arguments et les points de vue des théologiens et des existentialistes. Par sa profondeur ou par son extravagance, un point de vue peut se soustraire à la compréhension de la majorité des gens. Mais il va sans dire qu'habituellement ceux qui prétendent ne rien comprendre montrent par des signes évidents que leur réflexion sur la question n'est pas profonde. On commet le sophisme de l'appel à l'*incompréhension* en prétendant ne rien comprendre en vue d'éviter de débattre un problème, ou en réclamant constamment des explications supplémentaires en vue de rendre le débat confus.

Prenons par exemple l'affirmation voulant qu'il y ait au moins un être dont l'existence soit nécessaire, Dieu. Ceux qui défendent cette idée définissent généralement l'expression «l'être dont l'existence est nécessaire» comme étant évidente par elle-même, ou comme un être dont la raison d'être lui est inhérente, ou comme un être dont l'essence même est d'exister, etc. Cet être est alors distingué des êtres qui ne recèlent pas en eux-mêmes le principe de leur propre existence; par exemple, l'être humain requiert des parents pour être. Quelques philosophes critiquent ce point de vue sur la base que l'idée d'un être nécessaire n'a pour eux aucune signification. Comme, pour eux, seules des propositions (des phrases) peuvent être nécessaires, la simple idée d'un être nécessaire est donc insensée. De leur point de vue, il n'y a donc pas de motif raisonnable pour s'attarder sur une argumentation qui conclut à l'existence d'un être nécessaire. Si aucune bonne raison n'est donnée pour justifier l'emploi restrictif du terme nécessaire aux seules phrases (ou propositions) ni pour qu'il ne puisse servir dans aucun autre contexte, on a alors affaire au sophisme de la confusion due à l'*incompréhension.* S'il peut être vrai que certaines définitions de l'expression «être nécessaire» soient incompréhensibles, cela ne découle pas du fait que quelques personnes préfèrent restreindre l'usage de cette expression pour décrire exclusivement une caractéristique attribuable à des phrases. Penser autrement sans apporter de preuve équivaut à commettre le sophisme de l'appel à l'*incompréhension*.

Comme aucun moyen d'observation directe n'existe pour constater si la confusion dont on discute ici est bien réelle ou n'est que simulée, on comprend qu'il soit difficile de déterminer quand ce sophisme est réellement commis. De plus, on ne dispose d'aucun critère universellement admis du concept de «signifiance» qui pourrait être utilisé pour évaluer objectivement la signification de toute phrase. Il arrive que des philosophes réclament l'usage d'un langage moins spécialisé, plus près de la réalité quotidienne. Mais jusqu'à maintenant, même cela ne suffit pas à lever les controverses et on ne voit pas comment cette situation pourrait être changée à l'avenir. Il semble donc que le sophisme de l'appel à l'*incompréhension* demeurera pour longtemps encore un truc utile, car il est presqu'impossible à détecter dans le discours de ceux qui veulent créer de la confusion.

Résumé: Pour échapper à la conclusion d'un argument convaincant ou pour rejeter un point de vue cohérent et légitime, on peut invoquer une incompréhension

Exemple personnel: ______

5.8 Les objections ridicules

Si on prend pour acquis que n'importe quelle objection suffit à rejeter un argument, on commet le sophisme des *objections ridicules*. Les propositions qui résistent à toute forme de critique ou d'objection sont peu nombreuses. Certaines critiques ont moins d'impact et portent moins à conséquence que d'autres; sur cette base, on croit qu'il est raisonnable de ne pas rejeter des propositions, des théories ou des points de vue qui ne seraient que légèrement affectés par ce genre de critique mineure. Par exemple, on commettrait une erreur en rejetant la théorie de la relativité d'Einstein sous prétexte que le commun des mortels ne la comprend pas. De même, rejeter la psychanalyse constituerait une erreur si l'on ne se basait pour ce faire que sur les réactions de certaines personnes devant les développements apportés par Freud sur la sexualité, la religion et la paternité ou la maternité.

Dans des cas semblables, la qualité et l'impact de la critique doivent être mesurés en fonction de l'apport total de la théorie ou du point de vue critiqué. Évidemment, l'objection ridicule peut avoir un certain impact, mais l'admettre dans discrimination peut conduire au rejet inacceptable de théories et points de vue importants.

Par ailleurs, la distinction principale entre ce sophisme et celui de l'*homme de paille* consiste en ce qu'ici l'argument faible ne remplace pas l'argument fort. La théorie ou l'argument n'est pas non plus déformé; on lui rétorque seulement des objections trop faibles ou ridicules pour justifier raisonnablement le rejet de la théorie ou de l'argument, contrairement à ce que laisse croire la critique. Bref, le sophisme repose ici sur la prétention de la critique à faire passer pour majeure et importante une objection ridicule.

Résumé: Si on prend pour acquis que n'importe quelle objection suffit à rejeter un argument

Exemple personnel: Votre livre est bon mais on ne peut pas l'accepter car la couverture est laide

5.9 *Le langage émotif*

en mettre plus

Lorsqu'un point de vue devient plus persuasif parce qu'il est exprimé dans un langage émotif sans que ce dernier ne contribue à en renforcer la validité ou la rigueur, nous avons alors affaire au sophisme de la confusion due au *langage émotif.* Par exemple, supposons qu'une jeune femme veuille convaincre son père qu'elle est prête à se marier et à quitter la maison familiale. Elle pourrait lui dire simplement ceci: «Papa, je suis prête à me marier et à quitter la maison familiale.» Mais elle pourrait colorer davantage sa façon de parler à son père «Ah! papa! J'aime tellement Lorenzo. J'aime son sourire, sa façon de marcher, son odeur! Je veux qu'il soit le père de mes enfants. Je veux vieillir avec lui; je veux être à ses côtés pour toujours.» Cette deuxième façon ne contient aucun «fait» nouveau par rapport à la première, mais elle peut sembler plus persuasive pour certains.

Remarquez la différence d'impact dans les deux énoncés suivants :

Le bras de Robert était coupé au-dessous du coude gauche.
Le bras sanguinolent de Robert était déchiré jusqu'à l'os.

Ces descriptions de la blessure de Robert pourraient être toutes les deux satisfaisantes, mais la seconde nous donne l'impression que la blessure est plus grave. Si nous avions à poursuivre devant le tribunal celui qui a blessé Robert, il est probable que nous choisirions la seconde description. En effet, elle capte davantage l'attention. Alors, si cette deuxième description provoquait une confusion due à son contenu émotif, nous serions devant un cas de sophisme de la confusion due au *langage émotif.*

Résumé: ______________________________

Exemple personnel: ______________________________

5.10 Les pseudo-arguments

Il y a des gens qui ne semblent jamais à court de mots. Face à toutes sortes de problèmes, devant n'importe quelle question, ils ont toujours réponse à tout. Parmi ces gens, on en retrouve qui sont capables de mener rondement une discussion de haut niveau sur des sujets variés, tout en restant cohérents et en proposant des points de vue pertinents et justifiés rationnellement. Mais on en trouve d'autres qui ont développé l'art de «paraître» pertinents et rationnels. Le plus souvent ces gens nous emberlificotent en parlant à côté, en haut, en bas ou autour du sujet, sautent du coq à l'âne, puis laissent soudain tomber une conclusion comme si elle découlait de tout leur charabia précédent. Leur stratégie est très efficace et repose, j'en suis convaincu, sur le fait que lorsque quelqu'un parle, la plupart d'entre nous prenons pour acquis que ce qu'il dit est sensé. Bref, nous nous attendons à ce que tout ce qui est dit soit sensé, et cette attente, nous l'entretenons en premier lieu envers nos propres paroles. Donc, s'il nous semble que les paroles de quelqu'un sont dénuées de sens ou incohérentes, c'est de notre propre compréhension dont nous doutons en premier. Nous avons tendance à faire porter en premier lieu sur nous-mêmes le fardeau de la compréhension. (Prenez quelques instants pour vous souvenir de ce que vous avez vécu lorsqu'un professeur vous a dit qu'il n'a pas compris l'une de vos questions). Rares sont ceux qui sont sûrs d'eux-mêmes au point de commencer par mettre en doute la compréhension des autres.

Le sophisme dont il est question ici est un autre cas où une faiblesse humaine particulière est exploitée par quelqu'un aux dépens des autres. Peut-être que le nom attribué à ce sophisme ne sera pas d'une grande utilité pour aider à le reconnaître lorsqu'il se manifeste. Mais tout de même disons que lorsque quelqu'un prétend tirer une conclusion d'un assemblage incohérent d'idées manifestées dans un langage tortueux, nous aurons affaire au sophisme de la confusion causée par des *pseudo-arguments.*

Prenons par exemple ces considérations philosophiques tortueuses:

> *Au-delà de la mer solide de l'Être se trouve le puits sans fond du Néant où sont tenues prisonnières les âmes tremblantes. Le Néant et l'Être mènent une éternelle guerre sacrée l'un contre l'autre. Pour chaque âme absorbée dans le Néant, une âme doit être créée par l'Être. Donc, chacun doit vivre avec la peur de l'inconnu.*

Le texte repose sur des prémisses poétiques à bon marché et donc sa conclusion la plus plausible (mais elle est en réalité évidente) ne vaut pas davantage. C'est un exemple typique du sophisme d'appel aux *pseudo-arguments.*

Résumé: ______________________________

Exemple personnel: ______________________________

5.11 *L'étymologie*

Le sophisme de la confusion causée par l'*étymologie* est commis lorsqu'on prétend qu'un terme doit être utilisé de telle et telle manière, ou qu'il signifie ceci ou cela, parce que dans les temps anciens ce terme (ou un mot dérivé) était utilisé de telle et telle manière, ou qu'il signifiait ceci ou cela. Par exemple, quelqu'un pourrait dire que c'est une erreur d'accorder aux historiens, philosophes et mathématiciens le titre de «docteur» car chez les Romains, ce titre était réservé aux médecins. Peu importe que la référence historique soit exacte ou non, le sophisme de la confusion causée par l'*étymologie* est tout de même commis. En Amérique du Nord, nous n'avons pas à nous conformer aux règles des Romains. On explique de la même façon l'erreur qui consisterait à considérer que les atomes doivent être simples et indivisibles parce que le mot «atome» vient du mot grec «atomos» qui veut dire indivisible. Comme dernier exemple, nous aurions affaire au même sophisme si quelqu'un affirmait que la psychologie ne peut ou ne devrait pas être l'étude du «comportement» humain parce que «psycho» vient du grec «psukhê» lequel signifie souffle, esprit, âme. En fait, la psychologie ne se consacre pas seulement à l'étude du comportement humain. Peut-être que la psychologie serait dans l'erreur si elle devait se conformer à ce que les Grecs pensaient qu'elle devait être. Mais nous n'avons aucune raison de croire que la psychologie devrait être ce que les Grecs pensaient qu'elle devait être.

Résumé: lorsque l'on prétend qu'un terme doit être utilisé de telle ou telle manière parce que dans temps anciens il était utilisé d'une autre manière

Exemple personnel: ____________________

5.12 Les exceptions à la règle

«L'exception confirme la règle» est un aphorisme erroné fort répandu. Cet adage semble vouloir dire qu'une règle ne devrait être appliquée qu'à la condition d'y avoir trouvé une exception ou encore qu'un raisonnement qui procède par généralisation ne peut être vrai que si on trouve un cas qui ne se laisse pas expliquer par cette généralisation, qui est contraire à elle. Une telle croyance ne crée pas que de la confusion; elle est aussi fausse.

S'il existe un cas qui demeure contraire à la généralisation, alors celle-ci est falsifiée. Par exemple, on falsifie la généralisation suivante: «toutes les balles sont vertes» en montrant qu'il existe au moins une balle qui n'est pas verte. Les règles n'ont pas à être jugées selon qu'elles doivent être vraies ou fausses, mais selon qu'elles sont applicables ou inapplicables. La règle: «Cette porte doit être tenue fermée en tout temps» n'a pas une valeur de vérité, tout comme l'ordre «Fermez la porte» ou la question «la porte est-elle fermée?» n'ont pas de valeur de vérité. Par contre, lorsqu'il s'agit de règles, d'ordres et de questions, on peut parler d'applications appropriées ou non. Par exemple, on peut écrire sur une porte cette règle

«Cette porte doit être tenue fermée en tout temps», mais elle serait inadéquate si elle était posée sur un rosier. De la même façon, on peut comprendre que l'ordre «Fermez la porte» est approprié à condition qu'il y ait une porte laissée ouverte aux alentours.

Voilà pourquoi nous affirmons que si quelqu'un prétend que les généralisations ou les règles ne sont valables que si on découvre des exceptions, il commet le sophisme de la confusion dit des *exceptions à la règle.* Prenons par exemple la règle d'étiquette ou de bonne conduite voulant qu'un gentilhomme se lève lorsqu'une femme entre dans la pièce où il se trouve. Si quelqu'un faisant autorité en la matière rejetait cette règle, cela ne constituerait pas la démonstration qu'elle est valable. Au contraire, cela tendrait à l'affaiblir ou à montrer qu'elle n'est pas applicable. Donc, si quelqu'un prétendait à cette occasion que c'est l'exception qui confirme la règle, il commettrait le sophisme des *exceptions à la règle.*

On pourrait avancer l'idée que les exceptions d'une règle servent à indiquer les champs propres à son application; donc que les exceptions qui ne sont pas couvertes par une règle précisent les conditions propres de son utilisation. Par exemple, nul ne s'attend à ce qu'une personne alitée ou handicapée se lève à l'arrivée d'une femme. En effet, la règle ne s'applique pas dans ces cas exceptionnels. Mais ces cas servent bien à illustrer les limites à l'intérieur desquelles la règle s'applique effectivement.

Résumé: une règle ne devrait être appliquée qu'à la condition d'y avoir trouvé une exeption ou encore un raisonnement qui procède par généralisation ne peut être vrai...

Exemple personnel: ______________________________

____

____

____

5.13 Répondre aux questions par des questions

Le sophisme qui consiste à *répondre aux questions par d'autres questions* ressemble à celui de l'appel à l'*ignorance*, mais il s'en distingue: le fardeau de la preuve ne se déplace pas vers celui qui pose la question. Dans le cas de l'appel à l'ignorance, un «Pourquoi» était suivi d'un «Pourquoi pas?». Dans le sophisme que nous présentons maintenant, on pourrait répondre à un «Pourquoi?» par un autre «Pourquoi?» ou par un «Qui?» ou un «Quoi?». Lorsqu'une question est légitime et appropriée, mais qu'on y répond par une autre question, alors on commet le sophisme de la confusion causée par la *réponse à des questions par d'autres questions.* Prenons l'exemple de la conversation suivante entre deux bouddhistes Zen:

Yin	*Quel son émet une seule main qui applaudit?*
Yan	*À quoi ressemble un carré sans coins?*
Yin	*Est-ce que c'est doux?*
Yan	*L'as-tu entendu?*
Yin	*L'as-tu vu?*
Yan	*Bonne nuit Yin.*
Yin	*Bonne nuit Yan.*

On peut douter de la pertinence de leur discussion, et il est certain que cette conversation ne contient aucune proposition cohérente. Les deux ne font que questionner les questions, et puisqu'aucune question ne peut être vraie ou fausse, un tel questionnement ne nous présente aucun fait. Cette méthode n'a aucune valeur pour chercher la vérité ou pour trouver des propositions vraies à partir d'autres propositions vraies. Le problème de la vérité ou de la fausseté n'entre jamais en ligne de compte.

Même si l'on ne peut nier l'importance du rôle du questionnement dans une démarche qui a pour but la connaissance, il n'en demeure pas moins que les questions ne peuvent constituer un but en elles-mêmes. Un questionnement rhétorique sans fin ne remplace pas la connaissance, et si on s'en tient à répondre aux questions par d'autres questions, en vue de paraître sage ou d'atteindre de mystérieuses profondeurs, on commet alors le sophisme de la *réponse aux questions par d'autres questions.*

Résumé: le fardeau de la preuve de se déplace par ceux celui qui pose la question. On peut répondre à un pourquoi par un pourquoi, un qui ou un quoi

Exemple personnel: pourquoi le ciel est bleu pourquoi les serpent n'ont pas de plume

5.14 *La pseudo-ambiguïté*

Nous avons vu que certaines affirmations peuvent être équivoques parce qu'elles contiennent des termes ambigus ou une structure sin-

mot pas ambigue que l'on rend ambigue

gulière. Mais nous n'avons alors défini aucun critère explicite permettant d'identifier les cas d'ambiguïté. En fait, il semble qu'il n'y en ait pas. On ne dispose en effet d'aucun moyen susceptible d'identifier avec certitude les propositions ambiguës ou équivoques, dans le langage courant. Cela peut dépendre du contexte. Des propositions peuvent paraître parfaitement claires et justes pour certains et confuses pour d'autres. Ce genre de situation arrive tous les jours et cela peut donner lieu à des supercheries particulièrement habiles. Par exemple, suite au rejet d'une proposition, quelqu'un pourrait prétendre qu'après tout, elle était ambiguë; les objections ne portaient donc que sur une des multiples interprétations possibles et n'ont ainsi aucune valeur, si l'on interprète la proposition différemment. Si l'ambiguïté n'est évoquée que pour prévenir le rejet définitif d'un point de vue, cela entraîne une certaine confusion. Ainsi, nous dirons que si, pour empêcher le rejet de sa position, quelqu'un prétend qu'elle pourrait être interprétée de différentes façons et qu'alors on ne peut vraiment s'y objecter, on est en présence d'un sophisme de l'appel à la *pseudo-ambiguïté.*

Supposons, par exemple, que Roger soutient qu'au fond, «tout objet matériel est fait d'eau». Renversée par une telle affirmation, Ariane lui demande «Que fais-tu du bois, des pierres ou des os? Tu ne prétends sûrement pas que c'est simplement de l'eau!» Après avoir réfléchi à cette objection, Roger répond que quand il dit que tout le monde matériel est fait d'eau on peut interpréter son affirmation de différentes façons: «tout objet matériel est essentiellement de l'eau, ou bien tout objet matériel peut sembler être fait d'eau pour certaines personnes, ou encore tout objet matériel devrait être fait d'eau, ou même tout objet matériel présente une certaine fluidité comme l'eau, ou enfin, tout objet matériel a des propriétés qui s'apparentent à la force hydraulique, etc.» Il précise alors que son affirmation doit être interprétée dans le sens suivant: «tout objet matériel a des caractéristiques qui font penser à l'eau, pour certaines personnes, pour lui-même en l'occurrence». Il s'agit d'un sophisme de l'appel à la *pseudo-ambiguïté.* Il est en effet très discutable que Roger puisse prétendre que la véritable signification de «tout objet matériel est fait d'eau» est «tout objet matériel a des caractéristiques qui font penser à l'eau»: il n'y a vraiment pas de lien entre les deux énoncés. Peut-être qu'un historien de la philosophie serait prêt à concéder que le sens de l'affirmation de Roger est que «tout objet matériel est fait d'eau pour Thalès de Milet, penseur de l'époque pré-socratique», mais là encore, on pourrait présenter des objections. L'affirmation «tout objet matériel est fait d'eau» est facile à comprendre et elle est fausse. Donc, si l'on prétend qu'elle est ambiguë et vraie, on commet un sophisme de l'appel à la *pseudo-ambiguïté.*

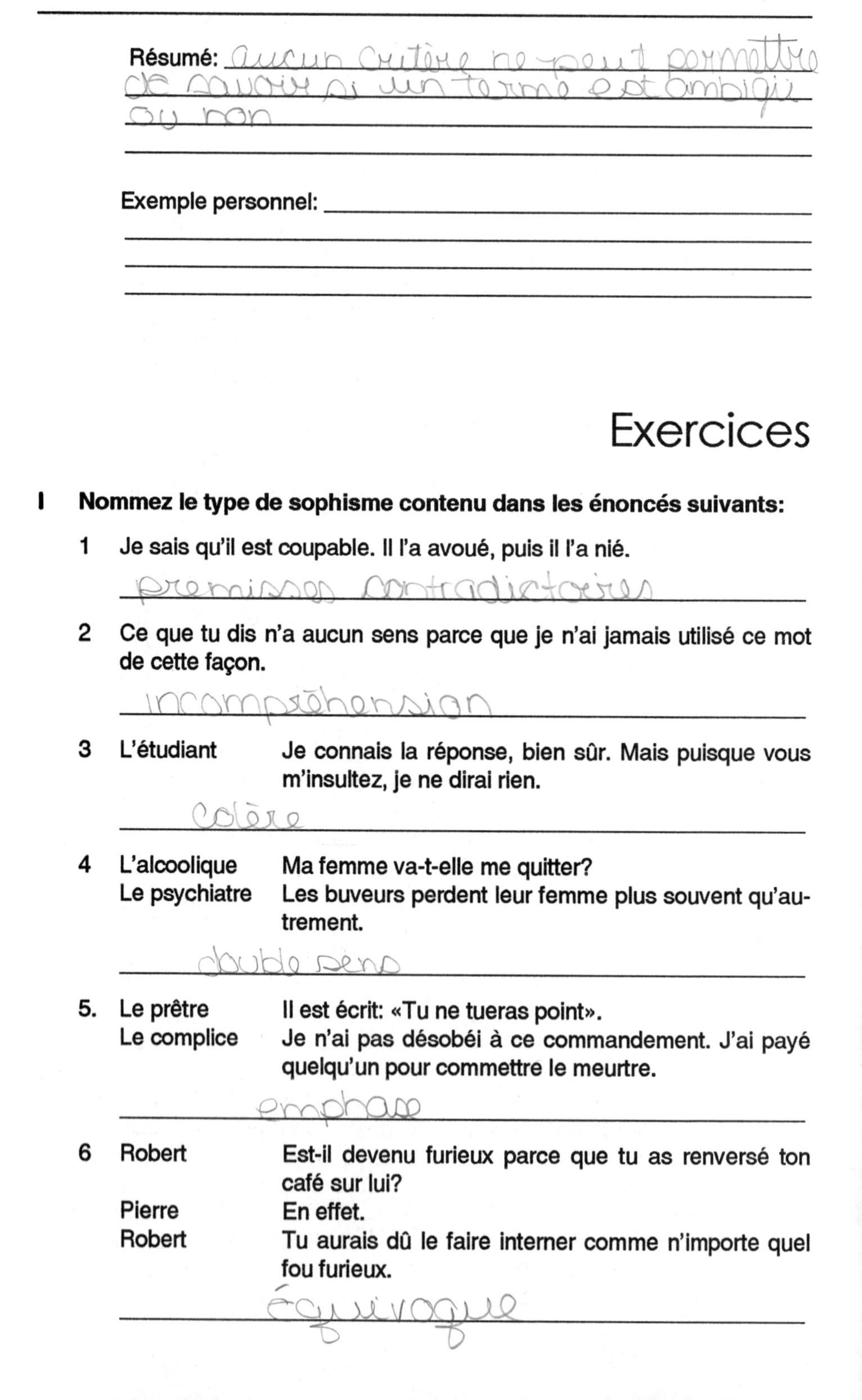

Résumé: aucun critère ne peut permettre de savoir si un terme est ambigu ou non

Exemple personnel: ____________________

Exercices

I Nommez le type de sophisme contenu dans les énoncés suivants:

1 Je sais qu'il est coupable. Il l'a avoué, puis il l'a nié.

premisses contradictoires

2 Ce que tu dis n'a aucun sens parce que je n'ai jamais utilisé ce mot de cette façon.

incompréhension

3 L'étudiant — Je connais la réponse, bien sûr. Mais puisque vous m'insultez, je ne dirai rien.

colère

4 L'alcoolique — Ma femme va-t-elle me quitter?
Le psychiatre — Les buveurs perdent leur femme plus souvent qu'autrement.

double sens

5. Le prêtre — Il est écrit: «Tu ne tueras point».
Le complice — Je n'ai pas désobéi à ce commandement. J'ai payé quelqu'un pour commettre le meurtre.

emphase

6 Robert — Est-il devenu furieux parce que tu as renversé ton café sur lui?
Pierre — En effet.
Robert — Tu aurais dû le faire interner comme n'importe quel fou furieux.

équivoque

7 Le professeur — Il te reste une minute pour répondre à la question.
L'étudiant — Je n'apprécie guère cette remarque. Vous essayez de me faire paniquer.

colère

8 L'amateur — Cet apéritif n'est-il pas différent?
Le barman — Je dirais qu'il est vraiment *très très* différent.

emphase

9 Le directeur — Monsieur, c'est la première fois que quelqu'un me lance un seau d'eau. Pourquoi avez-vous fait cela?
L'étudiant — Au moins personne ne peut plus dire que vous êtes un vieux sale.

humour

10 L'épouse — Je crois que nous avons besoin d'un nouveau réfrigérateur.
Le mari — Et moi je crois que tu es stupide et profiteuse.

colère

11 Quand j'utilise le mot théologie, je fais référence au discours sur Dieu. Si vous n'êtes pas d'accord avec moi là-dessus, alors ce que vous dites n'a aucun sens et il est inutile d'en parler.

incompréhension

12 Le prophète — La fin du monde est pour la semaine prochaine.
Le client — Vous disiez la même chose la semaine dernière.
Le prophète — Donc c'est la semaine prochaine que nous saurons si je dis vrai, n'est-ce pas?

équivoque

13 Marguerite — Tous les hommes sont égaux.
Lucie — Alors pourquoi mon opinion n'est-elle pas respectée dans cette maison?
Marguerite — Parce que tu n'es pas un homme évidemment.

emphase

14 La cliente — Je voudrais voir la vieille dame aux pattes d'argent.
La marchande — Qu'est-ce qui vous fait croire que nous avons ici une vieille dame aux pattes d'argent?
La cliente — Parce que votre annonce mentionne qu'une table à café appartenant à une vieille dame avec des pattes d'argent est à vendre.

double sens

15 Je soupçonne tout le monde. Je ne soupçonne personne. Bien sûr, je sais qui est coupable.

16 Le citoyen — Alors, vous connaissez la réponse, oui ou non?
La politicienne — Bien sûr, mais vous a-t-on déjà dit que vous êtes beau lorsque vous êtes en colère?

17 La fin de la vie est le bonheur. Puisque la mort est la fin de la vie, donc la mort est le bonheur.

18 Le mot «théologie» provient du mot grec qui signifie «discours sur Dieu». Donc une théologie athée est une véritable contradiction.

19 Nicole — Dirais-tu que cette peinture est belle?
Michel — Dirais-tu que cette peinture n'est pas belle?

20 Les principes universels de la succion et de la pression sont des principes complémentaires. Puisque le degré de succion est exactement 3,147 fois celui de la pression et que le baromètre est à la hausse, il en découle que vous vous disputerez avec un policier.

21 Je sais que la douleur est réduite dans 99% des cas. Mais il y aura un patient sur cent qui aura l'estomac irrité. Ce produit est donc inacceptable.

22 Ah bon! Il a cessé de fumer. Cela prouve que j'ai raison. Tout le monde fume.

23 L'étudiant — Oui, j'ai regardé sa copie.
Le professeur — Vous n'avez pas seulement «regardé sa copie». Vous avez imaginé, conçu et planifié de me tromper. Vous trahissez vos confrères, vos parents, votre foi. Vous n'êtes qu'un raté, un dérangé, un imbécile.

24 Michel — Es-tu content de la situation dans le monde?
Samuel — Et toi, es-tu content de la situation dans le monde?

réponse aux questions par des questions

25 Non, le mot «jambon» sert parfois à désigner une cuisse de poulet, et si tu tiens compte de cette interprétation, ce que j'ai dit est donc vrai.

pseudo-ambiguïté

26 Si l'État ne les y force pas, les riches propriétaires ne paieront pas d'impôt. Ceux qui souffrent le plus sont les paysans. Il est donc clair que le communisme est supérieur à la démocratie.

27 Le mot «philosophie» provient de mots grecs signifiant «amoureux de la sagesse». C'est donc ce que sont les philosophes, des amoureux de la sagesse.

28 Le chercheur — Je peux comprendre la fierté que vous ressentez d'avoir découvert une preuve que d'autres recherchent depuis cent ans, mais malheureusement la plupart des gens ne pourront la comprendre. Je ne puis donc pas l'accepter.

objection ridicule

29 Il y a un paresseux dans toute équipe et cela démontre bien que les gens croient vraiment qu'il faut donner une pleine journée de travail pour avoir une journée de salaire.

30 Plusieurs personnes appellent leur cousine «soeur». Si tu le prends ainsi, alors il a raison.

pseudo-ambiguïté

31 C'est vrai que j'ai besoin d'une nouvelle casquette. J'en ai besoin pour garder la tête droite, pour marcher au soleil sans être aveuglé. J'en ai besoin pour me sentir jeune à nouveau, pour prendre part au renouveau perpétuel de l'univers.

langage émotif

32 Parfois le mot «probable» signifie «certain». Dans ce cas, mon interprétation est vraie.

pseudo-ambiguïté

33 Ça pourrait peut-être s'avérer une excellente idée si l'on ne tient pas compte du fait qu'elle rédigée sur un papier de très piètre qualité.

objection ridicule

II Les exercices qui suivent sont conçus pour réviser tous les sophismes des chapitres quatre et cinq. Nommez le type de sophisme contenu dans les énoncés suivants:

1 Il devrait être satisfait avec 10$. Donc, il le sera.

pensée idéaliste

2 Hier soir, vous étiez tous pour cela, mais aujourd'hui vous n'en êtes plus certains. Ça prouve que ça ne vaut rien.

constance

3 Le patron — Pourquoi n'as-tu pas lavé la vaisselle du déjeuner?
Le plongeur — La partie de balle d'hier soir était très intéressante.

simple diversion

4 Ca ne nous dérange pas si vous ne nous engagez pas pour émonder vos arbres. Si une de ses branches mortes tombaient sur le toit, ça pourrait tuer quelqu'un. Mais c'est votre problème.

peur

5 Le vendeur — Achetez-en une neuve. Vous n'avez pas honte de cette vieille bagnole tout rouillée?

fierté

6 Le roi — Bien sûr que je dois être le roi. Après tout, je suis le roi.

moralité des faits

7 Albert — Comment es-tu sûr que c'est la pipe de grand-père?
Marguerite — Personne ne peut dire que ça ne l'est pas.

ignorant

8 Le procureur — L'avocat de la défense est évidemment intéressé à sauver la tête d'un client. Vous ne devez donc pas croire ce qu'il dit.

faux motif

9 Si Moïse n'avait pas été ce genre de forte personnalité, toute l'histoire du monde aurait été différente.

gérant d'estrade

10 Abel — Mais je viens de te montrer que même sans mon opinion, ces prémisses mènent à une contradiction.
Benoît — D'accord. Alors ton opinion doit être rejetée.

mauvaise raison ______

11 Ma conscience est en paix, et je ne veux que vous aider. Donc, je ne peux me tromper.

bonne intention ______

12 Bien sûr que c'est mon tour. Ou préfères-tu mon poing sur le nez?

force ______

13 Si cette planche à repasser se brise au cours des deux prochaines années vous pouvez nous poursuivre. Que voulez-vous de plus?

fausse garantie ______

14 L'avocat — Bien sûr, si vous voulez croire le témoignage de ce vaurien alcoolique et instable, vous le pouvez.

attaque à la personne ______

15 Le chef scout — Un scout apprend des choses utiles. Par exemple, il apprend à faire des feux sans allumette.
Le parent — Si c'est ça le scoutisme, à quoi ça sert? Vous pouvez acheter des allumettes partout.

exemple comme argument ______

16 C'est le petit-fils de Jesse James. N'ayez pas confiance en lui.

mauvaise graine ______

17 Le perdant — Je n'ai pas vraiment essayé de gagner. Après tout, ça n'intéresse personne.

faux-fuyant ______

18 Si tu es vraiment mon ami, tu voteras pour moi.

amitié ______

19 La candidate — J'ai promis de m'en tenir aux enjeux de la campagne, mais n'oubliez pas que mon adversaire connaît au moins 6 bandits.

mauvaise fréquentation ______

20 La psychanalyse ne vaut rien parce qu'elle repose sur la supposition que Freud soit la seule personne qui ait compris la sexualité.

homme de paille ______

21 L'étudiant — Quand je me retrouverai dans un trou boueux, les pieds gelés, je me souviendrai comment j'en suis arrivé là. Je vous le demande, monsieur, est-ce que je mérite une telle souffrance pour avoir raté un examen de biologie?

pitié ______________________________

22 Le citoyen — Aurons-nous une augmentation d'impôt cette année?
Le candidat — La chose la plus importante est d'amener la population à voter.

simple diversion ______________________________

23 Je n'ai jamais vu Dieu et c'est pour moi une preuve qu'il n'existe pas.

ignorance ______________________________

24 Jean — Simon a lavé le plancher avec son épouse.
Roger — Est-ce que cela lui a fait mal?

double sens ______________________________

25 Je sais que tu n'as jamais fait cela. C'est une preuve que j'ai raison. Tout le monde le fait.

exception à la règle ______________________________

26 «Démocratie» signifie quelquefois un gouvernement constitué d'une seule personne très riche.

pseudo-ambiguïté ______________________________

27 « Dieu existe » est une proposition qui ne rencontre pas mes critères de signifiance. C'est donc insensé.

incompréhension ______________________________

28 Chéri, amour de ma vie, voudrais-tu sortir les poubelles?

langage émotif ______________________________

29 Stéphane — Pourquoi veux-tu partir?
Étienne — Et toi, pourquoi veux-tu rester?

réponse à des question par des questions ______________________________

30 Martin — Tous les hommes sont mortels.
Michelle — Fantastique! Je vivrai donc éternellement!

emphase ______________________________

31 C'est un bon livre, mais je le rejette à cause de sa préface.

objection ridicule ______________________________

32 Je ne me souviens plus de ce qu'il a dit. Il m'a fait rire et j'ai oublié mon objection.

humour

33 Anciennement, les règles du football ne permettaient pas les passes vers l'avant. En réalité, ce qu'on appelle aujourd'hui «football» n'est pas du tout du football.

étymologie

34 Je lui ai demandé de prendre la porte. Alors il la démonte et il l'apporte avec lui. Pour moi, il ne m'a pas compris.

équivoque

35 Comment pourrais-je me souvenir de ce que j'ai dit? Lorsqu'il s'est mis à m'insulter, j'ai vu rouge et j'ai oublié ce que je voulais lui dire.

colère

36 Richard — À bride abattue, elle s'est mise à poursuivre son chien dans les rues.

René — Les femmes n'ont pas de bride. Donc ça ne peut pas être vrai.

double-sens

37 Il faut que l'armée intervienne parce qu'ils sont en train de voler notre identité et notre essence. L'appartenance de notre être à la Mère Nature doit être défendue à tout prix. Nous devons les attaquer.

pseudo-argument

38 Je ne peux pas discuter avec lui. Chaque fois que je le coince, il redéfinit les termes de telle façon qu'il s'en sort.

pseudo-ambiguïté

Chapitre six

La classification fautive

«Un homme qui a commis une faute et qui ne la corrige pas commet une autre faute.»

Confucius

Les sophismes présentés dans ce chapitre constituent les erreurs les plus courantes commises dans un contexte de classification. Ils se caractérisent par leur rapport avec la formation de classes, groupes, ensembles ou collections de plus ou moins d'éléments similaires. Aristote croyait que la philosophie était l'art de découvrir les ressemblances là où les apparences ne montraient que les différences et de trouver les différences là où il n'apparaissait que des ressemblances. Cette définition pourrait convenir à la majorité de nos pensées: nous attribuons ou non certaines caractéristiques à certains objets. Nous regroupons des objets ensemble ou les distinguons. Il est donc probable que plus souvent qu'autrement nous succombions à ce type de sophisme informel.

6.1 La continuité

Si l'on prétend qu'il n'y a pas vraiment de différence entre deux extrêmes puisqu'elles sont nuancées de façon continue, on commet le sophisme d'appel à la *continuité*. Par exemple, on pourrait argumenter que, puisqu'il n'y a pas de coupure nette entre le bien et le mal, mais plutôt une distribution continue de nuances entre les deux, rien n'est vraiment bien ou mal. Puisqu'il n'y a pas de dichotomie brusque ou évidente entre le bien et le mal, on suppose qu'il n'y a pas de réelle dichotomie du tout. Ou encore, en soutenant qu'il n'y a pas de réelle différence entre le conscient et l'inconscient parce que les graphiques d'ÉEG (électroencéphalogramme) montrent des changements plus ou moins continus, on commet le même sophisme. Selon ce point de vue, seuls les morts seraient complètement inconscients. S'il peut être intéressant dans des contextes spécifiques d'adopter ce sens plutôt inhabituel des mots conscient et inconscient, il est certainement faux de prétendre qu'il n'y aurait aucune différence importante ou réelle entre ces deux termes pris dans leur sens courant. Toute l'histoire de l'anesthésie est d'ailleurs là pour le démontrer. En général, quand on affirme que la distinction entre deux extrêmes n'est pas importante ou n'est pas réelle parce qu'il y a une continuité dans les différences entre les deux, on commet le sophisme d'appel à la *continuité*.

Résumé: prendre deux extrêmes et dire qu'il n'y a pas de différence

Exemple personnel: Il n'y a pas de différence entre les gars et les filles car les deux bouge parle..

6.2 Le juste milieu

Entre deux points de vue extrêmes et conflictuels, il est souvent sage de choisir une position mitoyenne. Par exemple, il peut être plus sage pour une personne d'investir la moitié de ses épargnes que de tout investir ou de ne pas investir du tout, ou il peut sembler plus prudent de consommer deux verres de bière que quatre ou aucun. Cependant, on commet un sophisme d'appel au juste milieu lorsqu'on prétend que le milieu entre deux extrêmes doit être vrai ou correct pour la seule raison que c'est le milieu entre ces deux extrêmes. Par exemple, si une personne n'aime pas la bière, elle pourrait boire autre chose ou même ne pas boire du tout. Si elle prétend que comme elle a le choix entre boire quatre, deux ou aucun verres de bière, elle préfère le milieu entre les extrêmes parce que c'est le milieu, elle commet un sophisme d'appel au *juste milieu*. D'ailleurs, le meilleur endroit pour avoir une panne d'essence n'est pas entre deux stations-service, ou la meilleure place pour conduire une voiture n'est pas en plein milieu du chemin. Bref, il n'y a rien de nécessairement juste dans le milieu.

Résumé:

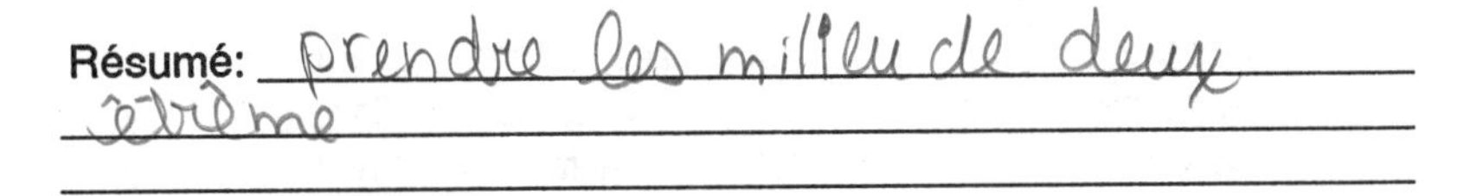

Exemple personnel:

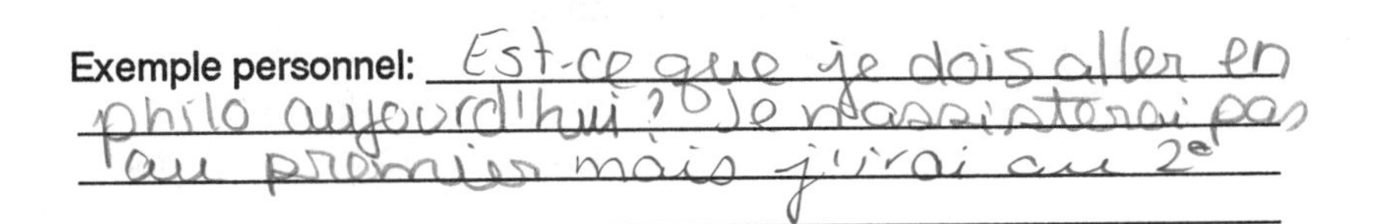

6.3 *Le faux dilemme*

Lorsque quelqu'un doit choisir entre deux ou plusieurs alternatives (souvent également désagréables), on dit qu'il est en face d'un dilemme. On commet le sophisme du *faux dilemme* lorsqu'on prétend qu'il y a nécessairement une des alternatives qui est vraie ou bonne. Par exemple, si un cultivateur suppose qu'il doit ou bien tirer tous ses revenus de l'exploitation de sa ferme ou n'en tirer aucun, il commet le sophisme du *faux dilemme* parce qu'il omet de considérer qu'il pourrait être cultivateur à temps partiel et travailler aussi ailleurs. De même, supposons qu'une personne cherche à faire financer ses études. Elle commet le sophisme du *faux dilemme* si elle prétend qu'elle n'a le choix qu'entre étudier à l'université ou devenir itinérante. Non seulement y a-t-il plusieurs autres possibilités entre ces deux alternatives mais en plus, elles ne s'excluent pas mutuellement: certains diplômés d'université finissent dans la rue tout comme certains itinérants peuvent se retrouver à l'université.

Résumé:

Exemple personnel: Si je coule cette session de cegep, je n'aurai d'autre choix que de devenir menagère

6.4 *L'homogénéité de l'ensemble*

On commet le sophisme d'appel à l'*homogénéité de l'ensemble* lorsqu'on prétend qu'une propriété qui existe (ou n'existe pas) dans toutes les parties d'un ensemble existe (ou n'existe pas) dans l'ensemble lui-même. Par exemple, on pourrait prétendre que l'être humain est nécessairement très petit parce qu'il est constitué de cellules et que les cellules sont très petites. Dans ce cas, la propriété de la petitesse est faussement attribuée à tout l'organisme sous prétexte qu'on l'attribue à ses parties constituantes. De même, on pourrait dire qu'un pipeline doit être court parce qu'il est constitué de courtes sections de tuyau; la propriété de la longueur courte est faussement attribuée à tout le pipeline sous prétexte qu'on la retrouve dans chacune de ses parties. Ainsi on pourrait affirmer que les chansons n'ont pas de mélodie parce qu'elles sont faites de notes individuelles et que celles-ci n'ont pas de mélodie; la propriété mélodieuse est faussement refusée aux chansons parce qu'elle est refusée aux notes individuelles.

Résumé:

Exemple personnel:

6.5 *L'uniformité des éléments*

On commet le sophisme d'appel à l'*uniformité des éléments* lorsqu'on prétend qu'une propriété qui existe (ou n'existe pas) dans un ensemble existe (ou n'existe pas) dans ses composantes. Par exemple, une personne pourrait prétendre que les particules subatomiques sont intelligentes parce que les personnes qu'elles constituent le sont. (On pourrait être tenté de répliquer qu'elles sont chauves parce que certaines personnes sont chauves.) Ainsi, quelqu'un pourrait affirmer que chaque page d'un livre est lourde puisque le livre est lourd lui-même ou bien que toutes les joueuses d'une équipe sont bonnes parce que l'équipe est bonne, etc.

Résumé:

Exemple personnel:

6.6 La simplification excessive

Parmi les sophismes de classification fautive, s'il en est un que l'on décrit bien dès qu'on le nomme, c'est bien la *simplification excessive*. Très peu d'entre nous n'ont jamais succombé à ce sophisme. Il nous arrive par exemple de blâmer un seul homme, habituellement Hitler, pour la Seconde Guerre mondiale; ou d'attribuer la victoire de toute une équipe à un seul joueur; ou de regretter une seule erreur en disant que c'est vraiment ce qui a déclenché une catastrophe, etc. Par exemple, nous attribuons le succès d'Edison à sa persévérance, comme si son imagination et son intelligence n'avaient joué qu'un rôle accidentel. Nous admirons les personnes qui, avec peu de possibilités ou de capacité, deviennent championnes ou présidentes à force de persévérance. Ainsi, nous les identifions à la tortue de la fable plutôt qu'au lièvre. Mais de cette façon, nous nous rendons coupables de simplification excessive si nous prétendons qu'une seule qualité peut être la cause de tout un succès. L'histoire de chacun est constituée d'une multitude d'actions, de décisions, de répercussions, de réactions et le succès ou l'échec d'une personne doit être perçu comme le résultat d'une interaction complexe de tous ces éléments et non de l'effet d'un seul pris isolément.

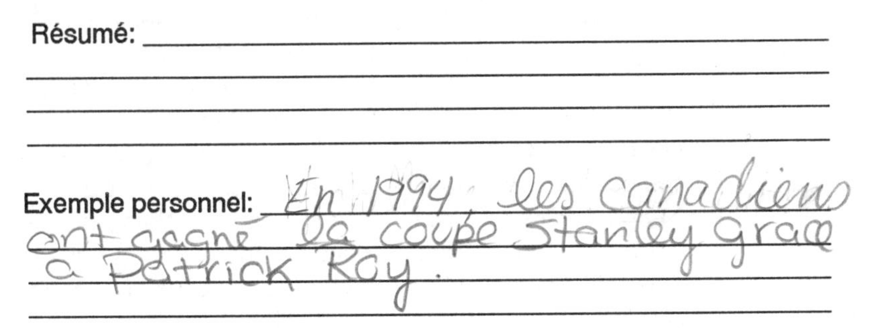

6.7 Les termes vagues

On commet le sophisme des *termes vagues* lorsqu'on utilise des termes vagues, imprécis, obscurs pour justifier une demande, un droit. Par exemple, voyons le cas où une vieille dame réclamerait le congédiement du recteur de l'Université parce qu'il serait d'esprit libéral. Ce terme de libéral, comme son antonyme conservateur, peut s'appliquer à différents contextes (politique, éducatif, religieux, etc.) et même si le contexte est clair, le terme ne réfère pas nécessairement à un contenu spécifique et universellement accepté. Ainsi le terme libéral est tellement vague qu'on ne pourrait pas vraiment dire de quoi le recteur serait accusé. Cela rend forcément toute réfutation impossible. À moins qu'un sens spécifique ne soit donné à un tel terme, toutes sortes de confusions peuvent subvenir. Il en va de même pour des termes comme libre, raisonnable, désirable, qui doivent d'abord être clairement définis avant d'être utilisés. François est libre, par exemple, ne nous apprend rien à moins que l'on ne précise le contexte et le type de liberté particulière dont il est question, comme libéré de prison, libre de nager, de prendre un verre, de danser, de lire, etc. Lorsqu'on omet de définir de tels termes, on s'expose à commettre le sophisme des *termes vagues*.

Résumé: employer un mot au terme vague -> les gens pensent ce qu'ils veulent

Exemple personnel: Liberté

Michelle est perturbée car elle a été victime de violence

6.8 L'opposition injustifiable

On se rend coupable du sophisme de l'*opposition injustifiable* lorsqu'on affirme que si un objet possède une certaine caractéristique, son contraire ne doit pas la posséder et inversement. Par exemple, on pourrait prétendre que puisque seule une personne courageuse risquerait sa vie pour sauver un ami, seul un lâche ne risquerait pas sa vie pour sauver un ami. Ou encore, on pourrait dire que si la femme est patiente, l'homme doit être impatient; ou que si les jeunes sont vaillants, les personnes âgées sont amorphes, etc. Si nous acceptions ce type d'argument, nous pourrions dire que les personnes éveillées ne peuvent faire le bien puisque celles qui dorment ne font rien de mal, ce qui est évidemment ridicule.

Résumé: opposition stupide, ridicule

Exemple personnel:

Exercices

I Nommez le type de sophisme contenu dans les énoncés suivants:

1 Cette auto ne peut aller plus vite que 160 km à l'heure et je ne dois pas rouler en bas de 60 km à l'heure. Donc une vitesse de 110 km à l'heure est parfaite.

juste milieu

2 Je te dis pourquoi il ne doit pas sortir avec toi. Tu n'es pas raisonnable. Pas raisonnable!

terme vague

3 Il n'y a pas d'autre issue. Si je ne peux acheter une BMW, il ne me restera qu'à voyager à pied.

faux dilemme

4 Le tennis est un sport complètement fou. Le gagnant saute par dessus le filet, mais le perdant ne rampe pas dessous!

opposition Injustifiable

5 Cette équipe est sûrement constituée uniquement de champions. Elle n'a pas perdu une partie.

Uniformité des éléments

6 Je ne vois pas pourquoi cette équipe pourrait perdre. Elle n'est constituée que de champions.

homogénéité de l'ensemble

7 Il ne doit pas vraiment y avoir de différence entre la science et l'art puisque leur méthodes respectives ne se distinguent que graduellement l'une de l'autre.

continuité

8 Le problème avec Hubert est qu'il est bizarre. C'est pourquoi Élise a peur de lui.

termes Vagues

9 Je savais que vous vouliez du café noir, tante Amélie, parce que l'oncle Jean le prend avec du sucre et de la crème.

opposition injustifiable

10 Qu'est-ce qu'il y a de si spécial à réparer le bras sectionné d'une personne? On n'a qu'à rassembler les deux parties et à les coudre ensemble.

Simplification excessive

11 La plus belle note dans le monde de la musique est le Do moyen parce qu'il n'est pas trop aigu ni trop grave. Il est juste au centre, là où il doit être.

juste milieu

12 Une fille à son ami — Ou bien tu ne m'aime pas ou bien tu es borné. Pour quel autre motif refuserais-tu de venir avec moi au théâtre?

faux dilemme

13 Au printemps, l'amour hante l'imagination des jeunes hommes. C'est pourquoi ils sont si détestables à l'automne.

opposition injustifiable

14 Cette discothèque doit être superbe, parce que toutes les filles qui y vont sont très belles.

homogénéité de l'ensemble

15 Émilie — Tous les éléphants du zoo pourraient couvrir tout un court de tennis.

François — J'ignorais qu'il y avait des éléphants si gros.

uniformité des éléments

16 Tous les problèmes du monde seraient résolus si les humains avaient un peu de bonne volonté.

Simplification excessive

17 Les motivations des gens pour partir en vacances passent par toutes les nuances. Ainsi aucune n'est vraiment bonne ou mauvaise.

Continuité

Chapitre sept

Les sophismes politiques

«La mesure ultime de l'homme n'est pas quand il se trouve dans des moments de confort et de commodité, mais quand il traverse des périodes de défi et de controverse.»

Martin Luther King Jr

On peut dire d'un événement ou d'une situation qu'il a une signification politique s'il est directement relié à des politiques, des lois, ou des principes qui gouvernent une ou plus d'une personne. Généralement une tromperie ou une erreur qui se retrouve dans une argumentation ayant une signification politique constitue un sophisme politique. Tous les sophismes politiques présentés dans ce chapitre sont informels. La plupart d'entre eux ont été décrits par le grand philosophie britannique Jeremy Bentham dans son *Handbook of Political Fallacies* (1824). Ce ne sont certes pas les seuls sophismes liés à des contextes politiques. En effet, tous les sophismes peuvent être associés à des contextes politiques. Toutefois ceux qui sont présentés ici semblaient particulièrement évidents pour Bentham. Comme les exemples le démontreront, ils peuvent être commis à grande échelle et affecter des nations ou à plus petite échelle et ne toucher qu'un groupe de personnes, comme une petite famille ou même de simples individus.

7.1 *La fin qui justifie les moyens*

L'idée que tout moyen peut être justifié pour atteindre un but ou une fin spécifique est traditionnellement connue sous le nom de sophisme de la fin qui justifie les moyens. Supposons, par exemple, qu'une personne considère la paix mondiale comme un objectif souhaitable. Sans doute, s'agit-il d'une ambition très altruiste et louable. Pourtant elle commettrait le sophisme de la *fin qui justifie les moyens* si elle décidait de prendre n'importe quel moyen pour réaliser cette fin. Appuyant tous les procédés possibles, elle pourrait même donner son aval à des méthodes malveillantes pouvant aller jusqu'à l'élimination d'une partie ou de toute l'espèce humaine. De la même façon, bien que l'objectif de devenir médecin soit noble, il ne devrait pas servir à justifier des comportements criminels. Ou encore, le but d'éliminer les maladies humaines est respectable, mais il ne devrait pas être utilisé pour justifier l'élimination des gens comme s'ils étaient des cobayes. Finalement, on peut aussi observer que ceux qui estiment que l'obtention d'un diplôme est un but assez bon pour justifier tout sacrifice commettent le sophisme de la *fin qui justifie les moyens*. Même s'il est louable pour certaines personnes de vouloir poursuivre des études, c'est également vrai que cela ne justifie pas le fait de se rendre ou de rendre les autres malades. Après tout, un diplôme ne constitue pas un laisser-passer pour le paradis.

Résumé: ______________________________

____

____

____

Exemple personnel: ______________________________

____

____

____

7.2 L'absence de précédent

Lorsqu'on propose une innovation, il semble qu'il y ait toujours quelqu'un qui prétende que si on n'y a pas eu recours jusqu'à ce jour, cela ne vaut donc pas la peine de changer, ou que cela pourrait même être nuisible. Ainsi, devant une nouvelle loi, politique ou initiative quelconque, il arrive qu'on la repousse simplement parce qu'il n'y a pas de précédent; il s'agit alors du sophisme de l'absence de précédent. Par exemple, ceux qui ont défendu les premiers des lois portant sur la prévention de la cruauté envers les animaux ont été confrontés à des sophismes d'absence de précédent. On prétendait que puisque de telles lois n'avaient jamais, par le passé, été nécessaires, elles ne le seraient jamais. Du reste, elles supposaient certains changements fondamentaux dans les comportements et habitudes des gens envers les animaux; ces changements seraient sans précédent et, par conséquent, inacceptables. Et encore, il y a ceux qui commettent le sophisme de l'absence de précédent en soutenant que les professeurs ne devraient pas s'engager dans les négociations collectives de travail, parce qu'il y a peu ou pas de précédent à cet effet. Pourtant cela pourrait être souhaitable même dans ces communautés ou institutions où il n'y a effectivement aucun précédent en matière de négociation collective de travail. Si un tel exercice de négociation s'avère nécessaire, la présence ou l'*absence de précédent* est tout simplement hors propos.

Résumé: ____________________

____

____

____

Exemple personnel: ____________________

____

____

____

7.3 *La nouveauté*

Le sophisme de l'appel à la *nouveauté* est commis par ceux qui soutiennent qu'un point de vue, une loi ou une politique qui est nouvelle est nécessairement bonne. Le sophisme de l'appel à la nouveauté est exactement l'inverse de celui de l'absence de précédent. Dans ce dernier cas, on conclut fallacieusement que c'est mauvais parce que c'est nouveau. Dans le premier cas, par contre, on conclut également avec fausseté que c'est bon parce que c'est nouveau. Or, la nouveauté en elle-même n'est ni bonne ni mauvaise, de sorte qu'un tel raisonnement est fautif. Il est clair que chaque nouvelle idée ou nouvelle réalisation n'est pas nécessairement bonne de même que chaque nouveau-né n'est pas automatiquement destiné à devenir un saint.

Résumé: ____________________

____

____

____

Exemple personnel: ____________________

____

____

____

7.4 *La désuétude*

Ceux qui soutiennent qu'un point de vue, une loi ou une politique qui est vieille est automatiquement mauvaise commettent le sophisme de l'appel à la désuétude. Ils adoptent une position exactement contraire à celle de ceux qui commettent le sophisme de l'appel à la *tradition.* Ces derniers concluent de façon erronée que c'est bon parce que c'est vieux tandis que les premiers errent également en concluant que c'est mauvais parce que c'est vieux. Il y a sûrement toute une pléiade de bonnes vieilles idées. Par exemple, que les gouvernants doivent diriger avec le consentement des gouvernés, que les planètes se déplacent en orbites à peu près elliptiques, qu'un peu de sucre aide à la prise d'un médicament.

Résumé: ____

____

____

____

Exemple personnel: ___________________________________

____

____

____

7.5 *L'imposture des termes*

On commet le sophisme de l'*imposture des termes* lorsque, pour qu'une idée impopulaire ou simplement inacceptable soit perçue populaire ou acceptable, on utilise des termes populaires ou acceptables. Par exemple, des gouvernements totalitaires se nomment «gouvernement du peuple» ou «Fronts de libération »... Alors que des appellations traditionnelles comme «fascisme» pourraient susciter méfiance et suspicion, des épithètes mielleuses comme «La République populaire», semblent inoffensives. Également, on dit parfois, «En amour et en diplomatie, tu ne dois jamais dire non. Si tu penses non, il faut dire oui ou peut-être». C'est comme mal se conduire quand personne ne regarde ou quand celui qui regarde ne peut rien faire ou ne s'en préoccupe pas. Dans de tels cas, «oui» et «peut-être» sont des termes imposteurs. Finalement, si un athée se retrouve dans une région où l'athéisme est impopulaire, il peut commettre le sophisme de l'*imposture des termes* en s'identifiant «protestant», «catholique» ou «juif». Presque toujours, lorsqu'en utilisant des descriptions ou noms mensongers, on tente de faire paraître attrayant un point de vue qui ne l'est pas, on commet le sophisme de l'*imposture des termes.* Il faut noter que la différence entre le sophisme des qualificatifs tendancieux et celui de l'*imposture des termes* est que le premier implique des termes d'évaluation, tandis que le second implique la substitution de certains termes par d'autres.

Résumé: ____

____

____

____

Exemple personnel: ____

____

____

____

7.6 *Le plaidoyer particulier*

Il arrive que, pour défendre une position, une personne ne présente qu'une partie des informations qu'elle possède à propos d'une idée au lieu de toutes les divulguer. Il s'agit alors du sophisme du *plaidoyer particulier*. Plus précisément, le plaideur particulier présente uniquement l'information qui favorise son point de vue. Ainsi en serait-il pour un vendeur de voitures d'occasion qui, désirant à tout prix conclure une vente, insisterait sur la belle apparence d'une voiture, mais omettrait de mentionner la défectuosité de la transmission.

Celui qui applique des principes dits universels à tout sauf à lui-même est aussi un plaideur particulier. Par exemple, l'histoire de l'éducation supérieure en Amérique est pleine de cas où des gens, après avoir passé des années à réclamer la limitation des pouvoirs des directeurs de collèges, ont commencé leur propre carrière à un tel poste en réclamant l'autonomie complète. Tout comme on peut trouver des gens qui, ayant soutenu que les doyens doivent être assujettis aux comités de révision de la faculté, refusent de se soumettre à cette idée lorsqu'ils accèdent à ce poste.

Résumé: ____

____

____

____

Exemple personnel: ____

____

____

____

7.7 *L'affirmation répétée*

Il y a sophisme de l'*affirmation répétée* quand on soutient que si une demande est répétée assez souvent, elle devient vraie. Les chefs totalitaires au XXᵉ siècle ont été des utilisateurs notoires de cette duperie. Les chefs du parti nazi de l'Allemagne hitlérienne ont tellement répété les mensonges accusant les Juifs de la ruine du pays et réclamant leur élimination pour cette raison qu'à la longue même les modérés ont commencé à y croire.

Nous rencontrons ce sophisme à une bien plus petite échelle. Si quelqu'un rejette ou remet en question nos points de vue, très souvent notre première réaction est simplement de les réaffirmer. Peut-être, supposons-nous, que nous ne nous sommes pas clairement exprimés ou que notre interlocuteur n'a pas bien compris nos propos. Si tel n'est pas le cas et que nous continuons à réaffirmer notre position malgré tout, nous commettons le sophisme de l'*affirmation répétée.*

Résumé: ____

____

____

____

Exemple personnel: ____

____

____

____

7.8 *La quiétude*

On affirme parfois que si personne ne se plaint, alors personne n'a de motif pour se plaindre. Il s'agit alors du sophisme de la *quiétude.* Comme Bentham l'écrit «Personne ne se plaint, alors c'est que personne ne souffre». Il est vrai, bien sûr, qu'une des raisons pour lesquelles quelqu'un ne se plaindrait pas, c'est qu'il n'aurait aucun motif de se plaindre, qu'il serait heureux de son sort. Quoi qu'il en soit, la peur des répercussions est une autre bonne raison pour ne pas se plaindre. Voilà certainement, par exemple, une des principales raisons de la passivité des propriétaires de petits commerces (buanderies, restaurants, cafés...) face aux menaces du crime organisé. Ce dernier est très explicite quant à son intolérance face aux plaintes, de sorte que les petits commerçants souffrent en silence.

Une troisième bonne raison pour souffrir en silence se fonde sur l'opinion que la plainte ne sera pas efficace. Par exemple, cela pourrait s'avérer une perte de temps que de se plaindre des méfaits de l'alcool à un viticulteur. De même, il y a peu d'avantages à se plaindre à un tyran des méfaits de la tyrannie. Il y a également toute une gamme de proverbes qui soulignent l'inefficacité de la plainte. Ainsi «On ne réveille pas les morts avec des plaintes». Ce serait également une grave erreur de penser que «pas de nouvelle équivaut toujours à bonne nouvelle» ou «qu'un client silencieux est toujours un client satisfait». C'est le sophisme de la *quiétude*.

Résumé: ____

____

____

____

Exemple personnel: ____

____

____

____

7.9 *La fausse consolation*

Lorsque nous avançons que notre situation est satisfaisante puisque celle de quelqu'un d'autre est pire que la nôtre, alors nous nous rendons coupable du sophisme de la *fausse consolation*. Comme Job, nous avons tous quelques amis bien intentionnés qui essaient de nous réconforter dans nos périodes difficiles en nous assurant qu'il y a des gens beaucoup plus défavorisés. «Courage», disent-ils, «les choses auraient pu être bien pires». Et ainsi ils nous entretiennent des catastrophes et des malheurs qui auraient pu survenir. Bien qu'il soit vrai que les choses auraient pu tourner plus mal, le malheur n'est pas plus supportable parce que le voisin a les deux jambes brisées. La liberté d'un soldat n'est pas accrue par l'idée que les prisonniers en ont encore moins. La mobilité d'un jeune homme n'est pas meilleure parce que son père n'a jamais eu de voiture. Bref, on peut dire que quiconque soutient que le gazon est plus brun de l'autre côté de la clôture commet le sophisme de la *fausse consolation.*

Résumé: ____

____

____

____

Exemple personnel: ____

____

____

____

7.10 L'autopurification

Quand il est soutenu ou argumenté que tant que quelqu'un n'aura pas corrigé ses propres défauts, il ne devrait pas tenter de corriger ceux des autres, on est en présence du sophisme de l'*autopurification.* Vous êtes sans doute familier avec l'adage selon lequel les gens qui vivent dans des maisons de verre ne devraient pas lancer de pierres. On peut présumer que cela signifie que les gens qui ne sont pas eux-mêmes sans reproche ne devraient pas critiquer les autres. À première vue, cela semble moralement louable. Mais si le principe est interprété de manière à ce que seulement les gens parfaits ou les gens aux théories parfaites puissent critiquer à juste titre n'importe qui ou n'importe quoi, cela conduit à l'élimination de toute critique. C'est un très sérieux sophisme.

S'il n'y avait que les gens parfaits ou véhiculant des idées parfaites qui pouvaient critiquer les autres ou leur point de vue, le développement des institutions et de la connaissance humaine serait sérieusement compromis. Si la critique n'était réservée qu'aux saints, la plupart des actes condamnables resteraient sans reproches puisque les saints sont rares. De même, le progrès de la science et de la technologie serait sérieusement remis en cause s'il n'y avait que les tenants de théories parfaites qui pouvaient critiquer les théories couramment acceptées. Il n'est pas nécessaire de présenter une théorie parfaite pour démontrer qu'une autre est problématique. Si une théorie conduit à des absurdités ou de fausses prédictions, alors elle a besoin de révision, même si personne n'en a une meilleure à proposer. Ceux qui exigent que l'on s'abstienne de toute critique, jusqu'à ce qu'on en développe une qui soit parfaite, commettent le sophisme de l'*autopurification.*

Résumé: ____

____

____

____

Exemple personnel: ____

____

____

____

7.11 La promesse en l'air

Le sophisme de la *promesse en l'air* est commis lorsque quelqu'un se déclare en faveur de quelque chose (un changement politique, l'achat d'un nouvel article, une nouvelle loi...) tout en reportant sa réalisation à un futur indéterminé. Les politiciels utilisent fréquemment cette stratégie particulièrement fourbe. Supposons, par exemple, qu'un électeur informe ses représentants de la nécessité de construire une piscine publique dans son district. Le député pourrait commettre le sophisme de la *promesse en l'air* en étant d'accord avec son électeur sur chaque point, mais en omettant de préciser une date de construction. Il pourrait soutenir qu'une piscine est nécessaire, qu'elle devrait être assez grande pour accueillir un millier d'enfants, qu'il devrait y avoir tant de plongeoirs, tant de surveillants. Le député pourrait être d'accord point par point avec son électeur, sauf sur la date de construction. Il pourrait dire qu'il est trop tôt pour construire ou que le gouvernement a pour le moment des priorités plus urgentes ou que le temps n'est pas propice pour une telle demande. En bref, il s'engagerait lui-même pour le principe du projet mais non pour sa réalisation. En fait le temps de sa construction ne se présenterait jamais.

Le sophisme de la *promesse en l'air* est souvent commis à une plus petite échelle. De nombreuses promesses non tenues (nouvelles voitures, vacances, fêtes...) peuvent être considérées comme des exemples de ce sophisme. Chaque fois que quelqu'un accepte une demande, mais s'obstine à repousser la date de sa réalisation, il s'agit du sophisme de la *promesse en l'air.*

Résumé: ____________________

____

____

____

Exemple personnel: ____________________

____

____

____

7.12 *Les conséquences incertaines*

Quand il est faussement prétendu qu'il y aurait tellement de conséquences incertaines reliées à l'adoption d'une nouvelle politique, d'une nouvelle loi ou d'un nouveau programme qu'il vaut mieux ne pas l'adopter, on commet le sophisme d'appel aux *conséquences incertaines*. Regardons l'exemple qui suit. Les autorités d'une ville proposent un nouveau système d'élimination des ordures. Gilles Beauchamp s'y oppose sous prétexte que cela pourrait dégager une mauvaise odeur. Même après avoir entendu une explication complète concernant les techniques d'élimination des odeurs, Gilles s'objecte toujours, car il estime que c'est trop risqué. Il est incapable de préciser quel élément du système proposé est en cause ou quelles sont les conséquences indésirables, mais il insiste encore sur le fait que ce système pourrait produire des effets néfastes. Gilles a commis le sophisme d'appel aux *conséquences incertaines*. De la même manière, quelqu'un peut s'objecter à la révision du système public de soins de santé en soutenant que cela pourrait entraîner des conséquences imprévues et désagréables. Évidemment, personne ne peut savoir à priori si un nouveau programme social n'aurait que les effets escomptés, ou s'il pourrait créer plus de problèmes qu'il devrait en résoudre. Cependant, en l'absence de toute information fiable suggérant plus d'effets nuisibles que bénéfiques, de telles objections au programme ne seraient qu'un exemple du sophisme d'appel aux *conséquences incertaines*.

Résumé: ____

____

____

____

Exemple personnel: ________________________________

____

____

____

7.13 *La fausse rumeur*

Lorsque des rumeurs sans fondement sont répandues à propos d'une politique ou d'une personne afin de rendre les gens craintifs ou de faire naître des suspicions, il s'agit du sophisme de la *fausse rumeur*. Supposons, par exemple, que quelqu'un veuille empêcher l'achat d'un terrain par la ville. Sans directement attaquer le projet, il pourrait l'affaiblir en répandant la rumeur que celui qui a proposé cette acquisition s'attend à retirer un pourcentage du prix de vente. Ou il pourrait laisser circuler la rumeur que le prix de la propriété a été majoré dès que la ville s'est intéressée à cet achat. L'une ou l'autre de ces rumeurs pourrait suffire à faire mettre ce projet sur les tablettes.

Ou encore, on peut se rendre coupable du sophisme de la *fausse rumeur* en répandant des nouvelles non fondées sur un candidat politique. Si, selon la presse, le candidat est réputé honnête, quelqu'un pourrait diffuser la rumeur selon laquelle cette réputation a été «achetée». Si un journal donnait son appui au candidat, quelqu'un pourrait dire que ce dernier a payé le journal, ou qu'il a l'intention de lui accorder quelque faveur. Puisque l'objet de ce sophisme est de créer un doute malicieux, il n'est pas nécessaire que les rumeurs soient élaborées. Une fois que l'on aura éveillé les suspicions, les appréhensions ou les doutes, les gens suivront le vieil adage «Il n'y a pas de fumée sans feu». Mais ici, le feu et la fumée sont également imaginaires.

Résumé: ____

____

____

____

Exemple personnel: ____

____

____

____

7.14 Le monde parfait

Il arrive que l'on prétende que certaines lois, règlements ou politiques seraient inutiles dans un monde parfait et qu'au lieu de les adopter, on devrait s'employer à réaliser le monde parfait. Dans un tel cas, on fait face au sophisme du *monde parfait*. Par exemple, on pourrait dire qu'il vaudrait mieux s'assurer que les tyrans ne se hissent jamais à des postes d'autorité plutôt que consacrer des efforts à rédiger une constitution protégeant contre l'abus de pouvoir. Que plutôt que de voter des lois restreignant la circulation, on devrait former les conducteurs à plus de prudence sur la route. Qu'au lieu de proposer une législation plus sévère en matière de droits civils, on devrait enseigner aux gens à être plus altruistes.

Ceux qui commettent le sophisme du *monde parfait* recommandent d'éliminer complètement le mal alors qu'ils rejettent les mesures partielles correctives. Bien sûr, atteindre la perfection rendrait superflu le besoin de mesures imparfaites. Cependant la perspective d'un monde parfait est à peu près nulle et si c'est là le seul objectif, il est presque certain que l'on fera face à un échec.

Ce qui est plus inquiétant, toutefois, c'est que pendant que temps et ressources sont dépensés pour une cause perdue, les problèmes se poursuivent. Donc si l'on ne se consacre qu'à la création d'un monde parfait, la conséquence est un monde encore plus imparfait puisque l'on ne remédie pas aux problèmes actuels. Il est difficile de concevoir un politicien ou quiconque commettre une erreur plus grave.

Résumé: ____

____

____

____

Exemple personnel: ____

____

____

____

7.15 *L'efficacité du temps*

Il est évident que beaucoup de choses changent avec le temps. Pour être plus précis, on peut dire que le temps est une condition nécessaire au changement, que le changement requiert du temps. C'est aussi une évidence que peu importe les années qui s'écoulent, de nombreuses choses demeurent inchangées. Malgré le temps qui passe, par exemple, les gens demeurent dignes de confiance, muets ou Québécois; certains traits culturels se perpétuent (les gens vivent dans des maisons, portent des vêtements); et l'environnement physique demeure sensiblement le même (les rivières coulent et les montagnes ne bougent pas...). En d'autres termes, on peut dire que le temps ne constitue pas une condition suffisante au changement, il peut y avoir un écoulement de temps sans changement. Le temps n'implique pas le changement.

C'est pourquoi on commet le sophisme de l'appel à l'*efficacité du temps* quand on estime que le temps doit nécessairement apporter des changements significatifs. Pourtant même lorsque des changements se produisent, ils ne sont pas toujours significatifs. Par exemple, prenons le cas de ceux qui disent qu'on n'a pas besoin d'une loi portant sur le paiement des pensions alimentaires, parce que le temps se chargera d'apporter les changements nécessaires. Il s'agit d'une erreur. Les changements que le temps apporte n'ont aucun rapport avec une problématique comme celle-là. En effet, les années peuvent passer sans qu'il advienne de changements significatifs concernant le versement intégral de toutes les pensions alimentaires. On peut continuer à constater qu'un nombre important femmes responsables de familles mono-parentales vivant sous le seuil de la pauvreté, sans emploi et sans espoir pour de nombreuses années encore.

De même, ceux qui croient qu'un étudiant qui passe vingt heures par semaine dans une classe apprendra plus que celui qui en passe dix, cinq ou aucune commettent le sophisme d'appel à l'*efficacité du temps*. Cette idée repose sur l'impression que les gens sont comme des éponges et que s'ils sont «maintenus dans cet état assez longtemps, ils en retiendront quelque chose». Pourtant, un examen même superficiel montrerait que ce n'est pas le cas. Le processus d'apprentissage des gens s'apparente beaucoup plus à celui des chevaux (ou des mules, si vous voulez) qu'à des éponges. Le vieil adage qui dit que «l'on peut mener les chevaux à la rivière, mais qu'on ne peut les forcer à boire» pourrait s'appliquer à l'apprentissage des étudiants.

Résumé: ____________________

____

____

____

Exemple personnel: ____________________

____

____

____

7.16 *La volonté toute puissante*

On entend fréquemment dire que si quelqu'un le désire «réellement», il peut réaliser n'importe quoi, comme le dit le proverbe «quand on veut, on peut». Si l'on s'arrête pour y réfléchir, c'est presque incroyable qu'une telle fausseté n'ait pas été dénoncé plus souvent. Après tout, tout le monde a des limites. Il n'y a pas de surhomme et très peu d'Albert Einstein ou de Michel-Ange. Par conséquent, celui qui soutient qu'on peut faire n'importe quoi si on le veut «réellement» commet le sophisme de la *volonté toute puissante*. La volonté n'est pas toute puissante, comme n'importe quel rêveur peut s'en rendre compte.

Résumé: ____________________

____

____

____

Exemple personnel: ____________________

____

____

____

7.17 La bêtise populaire

Si une personne suppose que la plupart des gens sont des brutes et que, par conséquent, peu importe leur sort, ils le méritent, elle fait le sophisme d'appel à la *bêtise populaire*. Pour des raisons évidentes, ce sophisme est plus souvent commis en privé qu'en public. Même dans ces pays où la vie de larges couches de la population est manipulée par une poignée d'individus, il ne serait pas prudent de soutenir un tel point de vue en public.

Pour un politicien, il s'agit d'une position extrêmement dangereuse à adopter. Cela pourrait conduire à la négligence et à une sérieuse oppression des masses. Après tout, qui se préoccuperait des problèmes d'une population qui y serait elle-même insensible. Les dirigeants pourraient ainsi se permettre de négliger à leur guise tel ou tel groupe de citoyens. Autrement dit, ceux qui commettent le sophisme de l'appel à la *bêtise populaire* croient que les dirigeants sont autorisés peuvent faire n'importe quoi à n'importe qui. Voilà probablement le plus grand sophisme politique qui soit.

Résumé: ______

Exemple personnel: ______

I Nommez le type de sophisme contenu dans les énoncés suivants:

1 Dans notre ville nous n'avons pas de hors-la-loi; nous n'avons que des cow-boys qui causent des problèmes.

imposture des termes

2 Tu ne vois personne qui manifeste pour protester, n'est-ce pas? Pas de démonstrations. Pas de réunions tardives. Ça signifie que personne n'a de doléances.

quiétude

3 Le vendeur — C'est une pièce équivalente. Elle coûte moins cher à installer. Elle a une plus belle allure. Que puis-je dire d'autre?

Le client — Vous avez oublié de dire qu'elle coûte plus cher d'utilisation.

4 J'avais faim et il avait quelque chose à manger. C'était une raison suffisante pour lui trancher la gorge.

5 C'est vraiment différent. Ça doit être bon.

6 Le militant — Nous l'écrirons sur leurs murs. Nous le mettrons en musique. Nous l'afficherons partout, sur les panneaux-réclames, l'arrière des camions et voitures. Ils le croiront.

7 Nous n'avons jamais eu, par le passé, à tenir notre chien en laisse, alors nous n'avons pas à le faire aujourd'hui.

8 Nous avons toujours eu un feu de circulation sur ce coin de rue, alors il est temps de l'enlever.

9 Il ne se taisait pas. Il continuait de me traiter d'imbécile. Alors, je l'ai frappé à la tête et ça lui a cloué le bec.

10 Le voleur — Je ne dirais pas que je vole les gens. Je dirais plutôt que je m'approprie certains luxes de certaines personnes qui en ont beaucoup et je les distribue à ceux qui n'en ont pas.

11 Pense seulement aux gars en prison. Ils sont bien pires que toi.

12 Ce type est député depuis vingt ans. Il doit être corrompu.

13 Si tu espères avoir cet emploi, tu es mieux de ne pas lui dire que tu as fait de la prison. Tu n'as pas à mentir à ce propos. Tu n'as qu'à ne pas en faire mention.

14 C'est la première fois que j'entends une telle chose. Ça doit être faux.

abs. de précédent

15 C'est la première fois que j'entends une telle chose. Comment puis-je la rejeter?

nouveauté

16 Comment peux-tu dire qu'il est malheureux. Il ne se plaint pas, non?

quiétude

17 De quoi te plains-tu? En Chine, c'est plus inquiétant.

fausse consolation

18 Le peuple, le peuple! Qui se soucie du peuple? Les gens sont trop bêtes pour réaliser ce qui leur arrive de toute façon.

bêtise populaire

19 Nous n'avons pas besoin d'une loi contre la pollution de l'eau. Avec le temps, les gens prendront conscience de la nécessité de la qualité de l'eau. Attendons.

efficacité du temps

20 Je suppose que vous n'avez jamais fait rien de mal?

autopurification

21 Qui s'apercevra de la différence? Dis seulement qu'il est bizarre. Les ragots se chargeront du reste.

fausse rumeur

22 Bien sûr qu'ils ont droit à un logement décent, mais cela prend du temps. Ils doivent attendre et être patients.

23 Si les choses étaient comme elles le devraient, nous n'aurions pas besoin d'une armée. Alors, au lieu d'engouffrer de l'argent dans l'armée, pourquoi ne pas apprendre aux gens à se mêler de leurs propres affaires?

monde parfait

24 Tu as échoué parce que tu ne l'as pas assez voulu. Quand quelqu'un veut vraiment quelque chose, il l'obtient.

volonté toute puissante

25 Je n'ai pas de raison particulière pour m'y opposer. Je pense seulement que cela comporte trop d'imprécisions. Ça peut créer plus de problèmes qu'en résoudre.

conséquences incertaines

26 Il y a cent ans, ils étaient des esclaves. Il faut se donner du temps. Ils finiront pas obtenir ce qui leur revient.

efficacité du temps

27 Je ne connais aucun citoyen dont il vaille la peine de se préoccuper. Ils se multiplient comme des mouches, et ils ne sont pas plus importants les uns que les autres.

bêtise populaire

28 Tu mets la charrue avant les boeufs. D'abord, change leur opinion, ensuite tu n'auras pas à changer les lois.

monde parfait

29. Bien sûr que ma théorie ne tient pas, mais tu n'as aucun droit de la critiquer, car tu n'as même pas de théorie toi-même.

autopurification

30 Essaie encore. C'est toujours possible si tu y mets de l'acharnement.

volonté toute puissante

31 Quand ils te questionneront à son sujet, tu n'as pas besoin de dire quoi que ce soit. Prends un air dégoûté et laisse leur esprit malveillant faire le reste.

fausse rumeur

32 Roger — L'an prochain, c'est ton année chanceuse, ma chérie. Une nouvelle bagnole, une nouvelle maison; si tu le veux vraiment, tu l'auras.

Alice — Bien sûr Roger, c'est ce que tu avais dit l'an dernier.

promesse en l'air

33 Tôt ou tard, ce requin corrompu s'effondrera. Tout ce que nous avons à faire c'est d'être patients.

efficacité du temps

34 Il n'y a pas lieu de se plaindre du peu d'heures d'ouverture de la bibliothèque municipale. Certaines villes n'en ont même pas .

35 Tu crois à ce principe depuis vingt ans. Ne penses-tu pas qu'il est temps de changer?

36 Suppose que quelque chose d'imprévu se produise. Es-tu prêt à en assumer la responsabilité? Personnellement, je ne le suis pas. C'est pour cela que je pense qu'il ne faut rien faire.

37 Allons-y. C'est nouveau et différent. Ça devrait être agréable.

38 Si les manufacturiers étaient davantage intéressés à produire de la marchandise de haute qualité plutôt que chercher des profits élevés, on n'aurait pas à se soucier des garanties. C'est pourquoi je dis qu'au lieu d'adopter des lois pour renforcer les garanties, nous devrions convaincre les manufacturiers de se soucier d'abord de la qualité de leurs produits.

39 Je sais que j'ai dit que j'étais en faveur de votre projet de loi, mais je ne peux le défendre maintenant. Ce n'est pas le moment propice.

40 Ho — Nous avons l'intention de continuer les combats jusqu'à ce que nous ayons libéré tout notre peuple.

Ding — Nous avons l'intention de continuer les combats jusqu'à ce que nous ayons puni tous les criminels.

41 Pourquoi gaspiller de l'argent pour les masses? Elles ne sont qu'un amas de mollusques parasites.

42 Bolchevique — C'était nécessaire d'éliminer les Koulaks pour réaliser les objectifs de la Révolution.

43 Comment peux-tu dire qu'il se sent étouffé? Je suis son père et je ne l'ai jamais entendu se plaindre.

quiétude

44 Quand tu auras une meilleure théorie, tu pourras critiquer la mienne.

autopurification

45 Tu n'as jamais fait cela. Ça doit être mauvais.

absence de précédent

46 Le tyran — Je veux que l'on diffuse ce slogan à chaque heure, sept jours par semaine. Dans un mois, ils en seront convaincus.

affirmation répétée

47 Le candidat — Maintenant, je ne sais pas ce que fait mon concurrent durant ses temps libres; mais il semble en avoir beaucoup plus que la plupart des gens, n'est-ce pas?

fausse rumeur

48 Le vendeur — Elle a de grandes pièces, deux cheminées, trois salles de bain, une pelouse verdoyante. Que puis-je dire d'autre?

L'acheteur — On trouve aussi un marécage sur chaque côté de la maison.

plaidoyer particulier

49 Tout ce que je sais, c'est que quand les gens sont opprimés, ils s'en plaignent vigoureusement. Or la population ne se plaint pas. Alors, elle n'est pas opprimée.

quiétude

50 Mon ami, nous jouons à vingt contre un. Mais nous les battrons si nous le désirons vraiment.

volonté toute puissante

Chapitre huit

Les sophismes de l'induction

«Il est préférable d'essayer même dans l'incertitude que de ne pas essayer et d'être certain de ne rien obtenir»

Hans Reichenbach

La conclusion d'un argument inductif peut être plus ou moins acceptable selon ses prémisses. Lorsqu'un tel argument est rationnellement non justifié, on peut parler alors de sophisme de l'induction. Nous devons considérer huit types de sophismes de l'induction. À l'exception de la généralisation hâtive et du sophisme du parieur qui ne respectent pas le modèle-même de l'induction, ce sont des sophismes informels.

8.1 La généralisation hâtive

Après avoir observé qu'un certain nombre de personnes, ou d'éléments ou membres d'un groupe ont une caractéristique commune, si l'on affirme que tout le groupe a donc la même caractéristique, on commet une *généralisation hâtive*. Pour utiliser un vocabulaire de statisticien, nous pourrions dire que notre échantillonnage est quantitativement insuffisant (pas assez nombreux) ou qualitativement déficient (trop spécifique). Les exemples suivants illustrent bien la généralisation hâtive fondée sur un échantillonnage quantitativement insuffisant.

Michel affirme que tous les Italiens mangent du spaghetti le samedi parce que son voisin italien le fait. Ou encore il dit que la mouche «Silver Doctor» est un bon appât pour toutes les truites mouchetées parce qu'il en a pris une avec ce leurre. Ou bien que toutes les Lada sont défectueuses parce que sa voiture Lada est défectueuse.

Son erreur est évidente. En effet, il porte un jugement sur un ensemble comprenant des milliers d'éléments après n'en avoir observé qu'un seul. De plus, si l'échantillonnage n'avait compris que cinq ou six individus, il est certain que la généralisation aurait été tout aussi hâtive. Un mathématicien ou un statisticien pourrait même nous dire de façon assez précise à quel point.

Les exemples suivants illustrent la *généralisation hâtive* fondée sur un échantillonnage qualitativement insuffisant.

Daniel prétend que dans un hôpital toutes les femmes sont vêtues de robes de maternité parce qu'il y a observé des futures mères qui portaient de telles robes. Il dit aussi que tous ceux qui se tiennent au coin des rues St-Laurent et Ste-Catherine mendient puisqu'il a vu quelques mendiants à cet endroit. Enfin, il suppose que tout le monde aime diriger la circulation parce qu'il a observé un policier en train de le faire.

On voit facilement que l'erreur repose sur le fait qu'à partir de l'observation d'individus en situation singulière ou inhabituelle, il porte un jugement sur un grand ensemble.

Résumé: ______________________________

____

____

____

Exemple personnel: ______________________________

____

____

____

8.2 L'accident

Lorsqu'un principe général est injustement appliqué à un cas particulier, on commet le sophisme de l'*accident* (*fallacia accidentis*). Par exemple, il est généralement vrai que les enfants devraient obéir à leurs parents. Toutefois, si les parents de Jean sont psychopathes, ce serait sûrement mauvais de prétendre que ce principe conviendrait à Jean. On se rend facilement compte qu'en vertu de circonstances accidentelles, le principe est inadéquat. Ainsi, celui qui appliquerait le principe ci-haut au cas de Jean commettrait le sophisme de l'*accident*. Ou encore, supposons qu'un prêteur frauduleux rappelle à son débiteur que tout le monde doit payer ses dettes et que tant et aussi longtemps qu'il néglige de le rembourser, il doit s'attendre à des sanctions. On aura alors recours à un bon principe, mais qui n'est pas convenablement appliqué; ce principe ne convient qu'aux créditeurs honnêtes et légitimes. Si quelqu'un emprunte de l'argent en toute bonne foi et qu'il est confronté à l'alternative soit de rembourser des intérêts exorbitants soit de subir des sanctions corporelles, il n'est pas obligé de choisir l'une ou l'autre des possibilités. S'il a une obligation morale, c'est celle de contacter la police. Dans ce cas, le prêteur frauduleux commet le sophisme de l'*accident*.

Ce type de sophisme est commis par des avocats, des juges et des juristes qui refusent de considérer les circonstances atténuantes lorsqu'ils jugent une personne. Les circonstances atténuantes sont, après tout, des accidents ou des éléments additionnels d'une situation qui nécessitent une attention spéciale. Lorsqu'on ne tient pas compte de ces éléments, il en résulte probablement un sophisme.

Résumé: ____
____
____
____

Exemple personnel: ___________________________________
____
____
____

8.3 La fausse causalité

Lorsqu'on considère de façon erronée qu'un événement est la cause d'un autre, on commet le sophisme de *fausse causalité*. En latin, on appelle ce sophisme *non causa pro causa* c'est-à-dire *considérer ce qui n'est pas une cause pour une cause*. Si le terme «événement» est employé dans un sens assez large pour inclure les opinions, ce sophisme ressemble beaucoup à celui de la *mauvaise raison*. Mais puisque les opinions sont des événements tout à fait particuliers et aussi parce que le sophisme de la *fausse causalité* ne doit pas entraîner des applications inexactes de l'argument *reductio ad absurdum*, les deux sophismes doivent être distingués. Regardons quelques exemples.

Supposons qu'il pleuve immédiatement après que vous ayez lavé votre voiture. Si vous attribuez l'averse au lavage de votre auto, vous commettez un sophisme de *fausse causalité*. Ou encore, on a rapporté que de grands sages hindous ont passé dix minutes chaque matin à se tenir sur la tête. On commettrait un sophisme de la *fausse causalité* si l'on prétendait que leur grande sagesse est due à cet exercice matinal. Finalement, on pourrait prétendre faussement que Napoléon est devenu empereur à cause de sa stature physique.

Si l'on croit que les superstitions ont un lien causal avec des événements (*argumentum ad superstitionem*), ces appels à des superstitions sont aussi des sophismes de la *fausse causalité*. Par exemple, si quelqu'un vous dit que vous rencontrerez un malheur parce qu'un chat noir a croisé votre chemin, parce que vous avez brisé un miroir ou parce que vous êtes passé sous une échelle, il fait un appel à la *superstition* ou un sophisme de la *fausse causalité*. Toucher du bois pour éviter un malheur ou attirer la chance est un autre exemple de ce type de sophisme.

Résumé: ____

____

____

____

Exemple personnel: ______________________________________

____

____

____

8.4 Le parieur

Conformément à la théorie classique des probabilités, lorsqu'on joue à pile ou face, la probabilité d'obtenir *face* est de 1 sur 2. Il n'y a que deux possibilités et *face* est l'une d'elles. Si l'on joue une seconde fois, la probabilité d'obtenir face deux fois est de 1/2 x 1/2 = 1/4 . La probabilité avec trois tours d'avoir trois faces est de 1/2 x 1/2 x 1/2 = 1/8. En définitive, plus le nombre de tours est élevé, plus la probabilité de obtenir *face* à tous les coups est petite. Le fait d'obtenir *face* (ou *pile*) à ce jeu est un coup de chance. Un autre exemple de coup de chance est d'obtenir un 6 en jetant un dé. Si quelqu'un prétend que parce qu'une telle chance lui est arrivé dans le passé, la probabilité que cela se répète dans le futur est nécessairement meilleure, il commet le sophisme du *parieur*. Par exemple, supposons que vous lancez une pièce de monnaie cinq fois et que vous obtenez *face* chaque fois. Après une telle suite, vous pourriez penser que la probabilité d'obtenir le même résultat au tour suivant est supérieure à 1 sur 2. Dans ce cas, vous commettriez le sophisme du *parieur*. Chaque essai est indépendant de tous les autres et toutes ces tentatives sont sans effet les unes sur les autres. C'est pourtant l'inverse que l'on prétend en disant qu'une pièce est chanceuse. Ainsi, peu importe le nombre de *faces* consécutives que vous obtenez, les chances d'obtenir une autre au coup suivant demeurent inchangées. La probabilité, qui était de 1 sur 2 au premier tour, demeure de 1 sur 2 chaque tour, peu importe le nombre de tours. Les essais de pile ou face ou de dé sont donc des événements indépendants. Ce qui arrive maintenant n'a aucun effet sur les prochaines tentatives. Par contre, lorsque quelqu'un tire une carte d'un paquet normal, cela peut avoir un effet sur les chances d'obtenir une carte précise dans les piges subséquentes. Par exemple, au début, la possibilité de tirer un as est de 4 sur 52. Toutefois, si je ne tire pas un as et que je ne replace pas la carte, j'ai alors 4 chances sur 51 de tirer un as. Bien sûr, si je replace ma carte dans la pile, les chances demeurent à 4 sur 52. Ceux qui commettent le sophisme du *parieur* semblent croire que les coups sur lesquels ils misent sont comme lorsqu'on ne replace pas la carte dans le paquet et qu'ainsi leur chance augmente à l'usage alors que c'est inexact parce que les probabilités ne changent pas.

Résumé: ____

____

____

____

Exemple personnel: ____

____

____

____

8.5 *La fausse analogie*

On parle d'une analogie lorsque deux choses présentent une certaine similitude. Ainsi, le coeur est analogue à une pompe si on le regarde sous cet aspect. Un parapluie est analogue à un arbre quand on le considère sous cette similitude. Il y a une analogie entre le gouvernant d'un état et le capitaine d'un navire tant et aussi longtemps qu'on voit une similitude entre les deux. Dans le sophisme de *fausse analogie*, on soutient que puisqu'il y a une analogie ou une similitude sous certains rapports, il est certain que cette similitude s'étend à un autre ou à d'autres aspects. On peut représenter schématiquement ce type d'argument comme suit:

l'objet A a les propriétés P, Q, R, S, et T.
l'objet B a les propriétés P, Q, R, S.
Donc il est certain que B possède aussi la propriété T.

Par exemple:

l'objet A a un cerveau, parle, crie, lit et pense.
l'objet B a un cerveau, parle, crie et lit.
Donc il est certain que B pense aussi.

Ce genre d'argument peut être remis en question d'au moins deux façons. On commet le sophisme de *fausse analogie* premièrement si la conclusion d'un argument analogique est considérée comme certaine ou deuxièmement si les deux objets mis en analogie ont plus de différences que de similitudes.

Regardons les deux possibilités attentivement.

1. En premier lieu, on commet le sophisme de *fausse analogie* lorsqu'on considère que la conclusion d'un argument d'analogie est certaine au lieu de plus ou moins acceptable. Les analogies sont des arguments inductifs. Ainsi, par définition, leurs conclusions ne peuvent être considérées que plus ou moins acceptables.

2. Souvent, lorsque deux objets présentent des similitudes mais encore plus de différences, on aura une *fausse analogie*. Supposons, par exemple, que l'on dise que des athlètes sont comme des chevaux de course. Il y a certaines similitudes entre les deux. Leur succès respectif est en rapport avec leur force, leur entraînement, leur ardeur, leur chance. Mais il y a beaucoup plus de différences importantes, qui peuvent demeurer cachées si l'on insiste sur cette similitude. Par exemple, on pourrait étendre la similitude en disant que comme les chevaux, les athlètes sont insensibles aux problèmes humains, qu'ils n'ont pas besoin d'amis, qu'ils n'ont pas d'espoir ou de rêves, qu'ils peuvent être retournés d'où ils viennent quand ils sont trop vieux pour combattre. Pourtant, les besoins des athlètes sont très différents de ceux des chevaux de course. Alors on peut commettre un très sérieux sophisme de *fausse analogie* si l'on prétend, en s'appuyant sur quelques similitudes, que l'on n'a pas plus de responsabilité envers les athlètes qu'envers les chevaux de course.

Résumé: ____

____

____

____

Exemple personnel: ____

____

____

____

8.6 La tendance centrale

Supposons un groupe de 7 élèves qui subissent un examen et dont les résultats sont les suivants: 3, 3, 3, 4, 5, 11, 20. On obtient la *moyenne* arithmétique d'une série de nombres en les additionnant et en divisant le résultat par la quantité de nombres de l'ensemble. Par exemple, on divise 49 par 7 et on obtient 7. Le *mode* d'une série de nombre est la valeur la plus fréquente. Dans notre exemple, le mode est 3. Enfin, la *médiane* est la valeur qui sépare, aussi exactement que possible, une série en deux parties égales par rapport à la quantité de nombres d'une série, lorsque ceux-ci sont ordonnés dans un ordre ascendant. Si la quantité de nombres de l'ensemble est paire, la médiane sera la moyenne des deux valeurs mitoyennes. Dans notre exemple, la médiane est 4. La moyenne, la médiane et le mode sont des mesures de tendance centrale. Ils indiquent la tendance d'un ensemble de nombres à se regrouper autour de telle ou telle valeur. Ils sont souvent utilisés pour donner un bref aperçu des ensembles de nombres. Mais quand ils sont utilisés de façon inadéquate, on parle alors de sophisme de la *tendance centrale*. Par exemple, supposons qu'une propriétaire d'entreprise affirme que ses cinq employés ne devraient pas se plaindre de leur salaire parce qu'ils gagnent en moyenne 27 000$ par année. Si le salaire moyen est de 27 000$ mais que la distribution est comme suit:

98 000$, 9250$, 9250$, 9250$, 9250$

on voit bien que quatre employés auraient raison de se plaindre. Dans ce cas, la médiane ou le mode auraient présenté un meilleur portrait de la situation. En utilisant la moyenne arithmétique pour présenter le sommaire des salaires, la propriétaire a commis le sophisme de la *tendance centrale*.

Ou encore, supposons qu'on fait le sommaire de la distribution suivante des résultats obtenus par des étudiants à un examen en disant que la médiane est de 60:

1 3 3 3 3 4 60 90 94 94 94 94 97

La médiane est bien de 60, mais ce n'est pas représentatif de la distribution des 13 résultats. La majorité des étudiants a obtenu soit trois ou moins, soit 94 ou plus. D'autre part, il serait trompeur d'évoquer le mode de 3 ou de 94. Pour éviter le sophisme de la *tendance centrale*, nous devrions dire que la distribution a deux modes (ou est bimodale) de 3 et 94. De même, les tests de mémorisation présentent souvent des distributions bimodales parce que celui qui a bien mémorisé le contenu n'a aucun problème et celui qui ne l'a pas mémorisé est complètement perdu.

Résumé: ______________________________

____

____

____

Exemple personnel: ______________________________

____

____

____

8.7 Le pourcentage mensonger

N % de tout nombre est égal à N/100 multiplié par ce nombre. Par exemple,

5% de 80 = (5/100) x 80 = 4
6% de 90 = (6/100) x 90 = 5,4

et ainsi de suite. On commet le sophisme du *pourcentage mensonger* lorsqu'on soutient un point de vue avec un pourcentage trompeur.

Par exemple, supposons que votre voiture soit chez le mécanicien depuis toute une semaine. Vous lui téléphonez et lui demandez pourquoi le délai est si long. Il vous répond qu'il n'y a pas de problème parce qu'il a été en mesure de consacrer deux fois plus de temps aujourd'hui à votre voiture que durant tout le reste de la semaine. Cette croissance équivaut donc à 200%! Cependant, s'il a travaillé seulement deux minutes hier et quatre aujourd'hui, ce qu'il a dit est évidemment trompeur. Conséquemment, ses affirmations constituent un sophisme du *pourcentage mensonger*.

Ou encore, supposons qu'un candidat à une élection affirme que la personne actuellement en poste est inacceptable puisque sous son dernier mandat, le taux de suicide a augmenté de 100% par rapport à l'année précédente. En plus du fait qu'il n'y a peut-être aucun lien entre le suicide et le gouvernement, le pourcentage évoqué peut se révéler moins pertinent que le nombre réel de suicides. S'il y a eu deux suicides cette année et un seul l'année dernière, il y a effectivement une croissance de 100%, mais il n'y a rien là d'alarmant. Cette référence à un *pourcentage mensonger* est un sophisme.

Résumé: ______________________________

____

____

____

Exemple personnel: ______________________________

____

____

____

8.8 *Le total insidieux*

Le sophisme du *total insidieux* est le contraire du sophisme du *pourcentage mensonger*. On commet un tel sophisme lorsqu'on évoque le nombre total de répétitions d'un événement et que ce total est plus trompeur que la référence à un pourcentage ou à une proportion. Par exemple, quelqu'un peut prétendre que puisqu'il y a davantage d'accidents d'automobile durant le jour que durant la nuit, il est plus sécuritaire de conduire la nuit. Dans un tel cas, il aurait été préférable de connaître le pourcentage d'accidents par rapport au nombre de voitures circulant le jour et la nuit.

De la même façon, une compagnie pharmaceutique pourrait prétendre que plus de personnes atteintes de telle maladie sont soulagées par leur médicament que par tout autre même si le pourcentage de soulagement de cette maladie par n'importe quel médicament est insignifiant. Si n'importe quel médicament a un effet positif dans 1% des cas alors que le médicament «Solution Bravo» est efficace dans 1,01% des cas, on ne peut vraiment vanter les mérites ni du médicament «Solution Bravo», ni ceux des autres. La prétention à l'effet que la «Solution Bravo» soulagerait plus de personnes que les autres masque le fait que ces drogues sont pratiquement sans effet. Il s'agit d'un sophisme du *total insidieux*.

Résumé: ______________________________

____

____

____

Exemple personnel: ______________________________

I Nommez le type de sophisme contenu dans les énoncés suivants:

1. On est dans un pays libre, non? Alors laisse-moi faire ce que je veux.

   accident

2. Je sais qu'aucun professeur d'université ne travaille en été. Le père de mon ami est professeur et il passe tout l'été à son chalet.

   généralisation hâtive

3. Je n'essaierais pas d'être une vedette sans porter une moustache. Après tout, Clark Gable n'aurait pas pu le devenir sans elle.

   fausse causalité

4. La société humaine est comme un organisme vivant. La participation à la collectivité est la seule raison d'être de l'individu, tout comme la cellule n'a de sens que par sa fonction dans l'organisme.

   fausse analogie

5. J'ai vraiment travaillé cette année. J'ai augmenté mon temps d'étude de 100%.

   pourcentage mensonger

6. La roulette est tombée sur le Noir douze fois de suite. Elle tombera sûrement sur le Rouge au prochain jeu.

   parieur

7. Les maisons de Berthier sont certainement majoritairement en bon état puisque le prix moyen de ces résidences est de 98 000$.

   tendance centrale

8. Avez-vous vu cet adolescent brûler le feu rouge? Les jeunes sont vraiment des conducteurs dangereux.

   généralisation hâtive

Vais-je passer au travers?!

9 Personne ne peut critiquer notre administration, parce que nous avons fait moins d'erreurs que le gouvernement précédent.

total insidieux

10 Peu importe s'il pèse trois fois plus que toi. Un bon scout essaie toujours d'aider son prochain. Tu aurais dû plonger et tenter de le sauver.

accident

11 Je te dis qu'il va pleuvoir. Il pleut à chaque fois que je décide d'aller à la pêche.

fausse causalité

12 Les objectifs gouvernementaux sont comme les autobus. Les uns et les autres sont valables tant et aussi longtemps qu'ils rendent service et qu'ils vont dans la bonne direction.

fausse analogie

13 Marie Combien de victoires avez-vous obtenu à l'extérieur?
Richard Deux fois plus que l'an dernier.

% mensonger

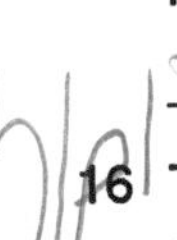

14 Même si je replace ma carte chaque fois que j'en prend une, la loi des moyennes dit qu'il y aura un gagnant tôt ou tard.

parieur

15 Peu importe les modes et les médianes, le seul indicateur fiable est la moyenne arithmétique.

tendance centrale

C'est pénible!

16 Tout le monde est venu pour l'idée. Quel autre appui veux-tu?

total insidieux

17 J'ai été tellement malade après avoir mangé ces pommes vertes que j'ai perdu conscience. Plus jamais je ne mangerai de pommes.

généralisation hâtive

18 Touche du bois avant d'acheter ton billet sinon tu n'auras pas de chance.

fausse causalité

19 Je n'ai connu qu'un député et c'était un profiteur. Je ne peux pas faire confiance à aucun d'entre eux.

généralisation hâtive

20 Les enfants sont comme les animaux. Tout ce dont ils ont besoin est de nourriture, d'une place pour dormir et d'une place pour jouer.

fausse analogie

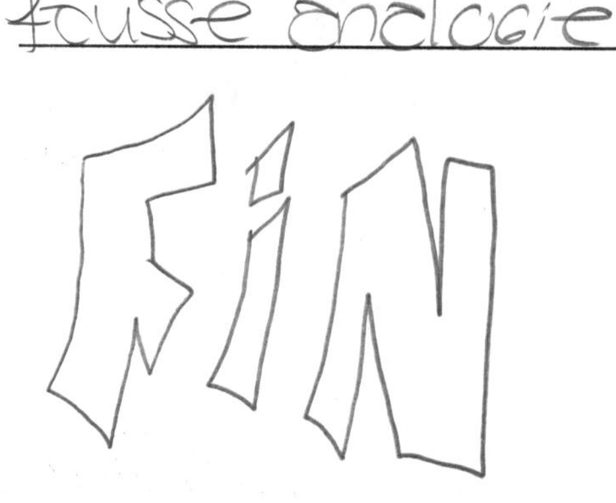

Annexe

Les solutions

Chapitre un, exercice VI

1 faux
2 faux
3 faux
4 vrai
5 faux
6 faux
7 faux
8 faux
9 faux
10 faux
11 faux
12 faux
13 vrai
14 vrai
15 faux

Chapitre un, exercice VIII

1 valide
2 invalide
3 valide
4 invalide
5 invalide
6 invalide
7 valide
8 invalide
9 invalide
10 invalide

Chapitre un, exercice XIX

1 valide
2 ne s'applique pas
3 invalide
4 valide
5 valide
6 valide
7 valide
8 ne s'applique pas
9 valide
10 valide

Chapitre un, exercice XII

1 sna
2 ma
3 n
4 mn
5 dc
6 st
7 n
8 mn
9 sac
10 st
11 n
12 n
13 dc
14 st
15 n
16 ma
17 sna
18 st
19 sac

Chapitre deux, exercice I

1 supposition de chaque manifestation d'une généralisation
2 définitions tendancieuses
3 raisonnement circulaire
4 certitude alléguée
5 expressions équivalentes
6 supposition d'une affirmation plus générale
7 qualificatifs tendancieux
8 questions tendancieuses
9 certitude alléguée
10 définition tendancieuse
11 supposition de chaque manifestation d'une généralisation
12 expressions équivalentes
13 qualificatifs tendancieux
14 questions tendancieuses
15 raisonnement circulaire

Chapitre trois, exercice I

1 bluff
2 tradition
3 cordes sensibles
4 jargon
5 personnes populaires
6 adages
7 titres
8 cérémonie
9 cordes sensibles
10 jargon
11 titres
12 tradition
13 bluff
14 adages
15 cérémonie
16 contrefaçon et mauvaise interprétation
17 a priori
18 autorité déplacée
19 majorité
20 autorité imaginaire
21 confiance
22 intérêt personnel
23 grands concepts
24 contrefaçon et mauvaise interprétation
25 autorité déplacée
26 grands concepts
27 confiance
28 a priori
29 majorité
30 autorité imaginaire

Chapitre trois, exercice II

1 cordes sensibles
2 a priori
3 définitions tendancieuses
4 tradition
5 raisonnement circulaire
6 supposition de chaque manifestation d'une généralisation
7 intérêt personnel

8 personnes populaires
9 expressions équivalentes
10 certitude alléguée
11 confiance
12 bluff
13 supposition d'une affirmation plus générale
14 autorité imaginaire
15 autorité déplacée
16 jargon
17 qualificatifs tendancieux
18 contrefaçon et mauvaise interprétation
19 adages
20 majorité
21 cérémonie
22 questions tendancieuses
23 titres
24 grands concepts
25 cordes sensibles

Chapitre quatre, exercice I

1 mauvaises fréquentations
2 constance
3 ignorance
4 attaque contre la personne
5 force
6 pitié
7 mauvaise graine
8 faux motifs
9 constance
10 ignorance
11 mauvaises fréquentations
12 attaque à la personne
13 pitié
14 force
15 faux motifs
16 amitié
17 moralité des faits
18 exemple comme argument
19 peur
20 mauvaise raison
21 pensée idéaliste
22 exemple comme argument
23 peur
24 amitié
25 pensée idéaliste
26 moralité des faits
27 simple diversion
28 fausses garanties
29 bonnes intentions
30 homme de paille
31 gérant d'estrade
32 fierté
33 faux-fuyant
34 simple diversion
35 fausse garantie
36 homme de paille
37 fierté
38 gérant d'estrade
39 faux-fuyant
40 simple diversion
41 bonnes intentions

Chapitre cinq exercice I

1 prémisses contradictoires
2 incompréhension
3 colère
4 double sens
5 emphase
6 équivoque
7 colère
8 emphase
9 humour
10 colère
11 incompréhension
12 équivoque
12 emphase
14 double sens
15 prémisses contradictoires
16 humour
17 équivoque
18 étymologie
19 réponse aux questions par des questions
20 pseudo-argument
21 objection ridicule
22 exception à la règle
23 langage émotif

24 réponse aux questions par des questions
25 pseudo-ambiguïté
26 pseudo-argument
27 étymologie
28 objection ridicule
29 exception à la règle
30 pseudo-ambiguïté
31 langage émotif
32 pseudo-ambiguïté
33 objection ridicule

Chapitre cinq exercice II

1 pensée idéaliste
2 constance
3 simple diversion
4 peur
5 fierté
6 moralité des faits
7 ignorance
8 faux motifs
9 gérant d'estrade
10 mauvaise raison
11 bonnes intentions
12 force
12 fausse garantie
14 attaque contre la personne
15 exemple comme argument
16 mauvaise graine
17 faux-fuyant
18 amitié
19 mauvaises fréquentations
20 homme de paille
21 pitié
22 simple diversion
23 ignorance
24 double sens
25 exception à la règle
26 pseudo-ambiguïté
27 incompréhension
28 langage émotif
29 répondre à des questions par des questions
30 emphase
31 objection ridicule
32 humour
33 étymologie
34 équivoque
30 colère
31 double sens
32 pseudo-argument
33 pseudo-ambiguïté

Chapitre six, exercice I

1 juste milieu
2 termes vagues
3 faux dilemme
4 opposition injustifiable
5 uniformité des éléments
6 homogénéité de l'ensemble
7 continuité
8 termes vagues
9 opposition injustifiable
10 simplification excessive
11 juste milieu
12 faux dilemme
13 opposition injustifiable
14 homogénéité de l'ensemble
15 uniformité des éléments
16 simplification excessive
17 continuité

Chapitre sept, exercice I

1 imposture des termes
2 quiétude
3 plaidoyer particulier
4 la fin justifie les moyens
5 nouveauté
6 affirmation répétée
7 absence de précédent
8 désuétude
9 la fin justifie les moyens
10 imposture des termes
11 fausse consolation
12 désuétude
13 plaidoyer particulier
14 absence de précédent
15 nouveauté
16 quiétude

17 fausse consolation
18 bêtise populaire
19 efficacité du temps
20 autopurification
21 fausse rumeur
22 promesse en l'air
23 monde parfait
24 volonté toute puissante
25 conséquences incertaines
26 efficacité du temps
27 bêtise populaire
28 monde parfait
29 autopurification
30 volonté toute puissante
31 fausse rumeur
32 promesse en l'air
33 efficacité du temps
34 fausse consolation
35 désuétude
36 conséquences incertaines
37 nouveauté
38 monde parfait
39 promesse en l'air
40 imposture des termes
41 bêtise populaire
42 la fin justifie les moyens
43 quiétude
44 autopurification
45 absence de précédent
46 affirmation répétée
47 fausse rumeur
48 plaidoyer particulier
49 quiétude
50 volonté toute puissante

Chapitre huit, exercice I

1 accident
2 généralisation hâtive
3 fausse causalité
4 fausse analogie
5 pourcentage mensonger
6 parieur
7 tendance centrale
8 généralisation hâtive
9 total insidieux
10 accident
11 fausse causalité
12 fausse analogie
13 pourcentage mensonger
14 parieur
15 tendance centrale
16 total insidieux
17 généralisation hâtive
18 fausse causalité
19 généralisation hâtive
20 fausse analogie

• Cap-Saint-Ignace
• Sainte-Marie (Beauce)
Québec, Canada
1995